「闇の支配者」からの禁断メッセージ!

シン・大予言

2024年の世界を激震させる陰謀ランキング

ベンジャミン・フルフォード+
ウマヅラビデオ+
コヤッキースタジオ
ほか

宝島社

はじめに

2020年以降、世の中は常に悪化し続けてきた。たいした感染症ではないと思われた新型コロナウイルスで世界はパニックとなり、2021年はウイルス対策で人・物・カネの動きが滞り、世界経済はムチャクチャになっていく。

コロナ禍がようやく終息し、2022年は「いい年になる」と思った矢先、その2月にはロシアによるウクライナ侵攻である。これで世界は再び混乱し、ロシアへの経済制裁でロシア産のエネルギー資源や食糧が止まった結果、世界規模でガソリン価格と食糧が高騰し、消費者物価を押し上げた。日本は円安が150円台まで進んだことも手伝い、輸入品価格の高騰がさらに庶民の生活を直撃してきた。

それでも2023年になればロシア侵攻も解決するのではと思われたが、その希望的観測は打ち砕かれた。それどころか9月にはアゼルバイジャンとアルメニアが「戦争」を起こし、続く10月にはイスラエルがイスラム武装組織ハマスと全面戦争に突入。中東情勢の不安定化で原油価格の高騰が続くことになった。

2024年もまた、希望的観測はきっと打ち砕かれるとみるべきだろう。そのために本書は「予言」スタイルを取り入れた。

有名な『ノストラダムスの大予言』など、多くの「予言書」は戦争や災害、疫病、重要人物の死について触れている。

これから先、「不幸が訪れる」と予言することで、いざ、そうなった時の心構えを説き、準備を促す。たとえ「外れた」としても、それはそれで「いいこと」なのだ。予言書が、あえて「不幸を予言する」のは、そんな先人たちの知恵といっていい。

本書も先人たちの知恵にならい、２０２４年以降に予測される「最悪の事態」をテーマに、これから起こるかもしれない「不幸」や「禍」の予言を掲載した。

予言ゆえに「外れる」こともあるかもしれない。むしろ、「外れてほしい」と願いつつ制作した。

本書を手に取った読者にも「外れてほしい」と願いながら読んでほしい。そのなかで、たとえ「当たった」予言があったとしても、「そんな予言もあったな」と慌てることなく、２０２４年の日々を過ごしてもらえれば幸いである。

「２０２４年はろくでもない年になる」

「この予言はきっと当たるな」

そう考えておくことが、混迷の時代を生き抜く知恵ではないだろうか。

国際情勢ファクト研究所

目次

「闇の支配者」からの禁断メッセージ！

シン・大予言

2024年の世界を激震させる陰謀ランキング

第一章 世界を激震させる「闇の支配者」の陰謀

ARTEMIS

大予言「2024年の世界を激震させる」シン・黒幕ランキング10人

本来、黒幕ランキングとは、どれだけの権力を「隠し持っているか」という基準で選ぶものだった。しかし、本書では「混迷をきわめる世界情勢を読み解く」という目的で、2024年以降の世界に大きな影響を与えるであろう「危険度」を基準にした。2024年の世界の情勢は、このランキングの人物たちによって動く。そう認識して読み進めてほしい。

危険度 1位

中華帝国の終身皇帝

中国国家主席
習近平

共産党幹部を大量粛清し、完全に国内を掌握した絶対権力者。圧倒的な独裁権を持ち、国力を背景に強引な政策を世界中で強行する危険人物

危険度 2位

宇宙の覇者

イノベーター・経営者
イーロン・マスク

宇宙インターネットとロケット衛星で宇宙ビジネスを独走。アメリカ復権を狙うアメリカ保守派の希望。判断を間違えばアメリカの凋落が加速する可能性も

インド強大化の牽引者

危険度 3位

インド（バーラト）首相
ナレンドラ・モディ

国名をバーラトに改名し、インドを着実に超大国へと押し上げげつつある。卓越した「八方美人外交」で西側、BRICS等すべてに影響力を持つ

危険度 4位

アメリカ保守派のシンボル

前アメリカ大統領

ドナルド・トランプ

「自国優先主義」を打ち出し、世界の権力者たちを目覚めさせた。ディープ・ステートに反発するアメリカ保守層の代弁者として影響力を保持

危険度 5位

ディープ・ステートの金庫番

投資家

ジョージ・ソロス

ディープ・ステートの資金管理を担い、ソロス一族のトップとして長年君臨。LGBTとSDGsを使った支配ツールで新たな世界秩序構築を目論む

危険度 6位

ロシアの力の象徴

ロシア大統領

ウラジーミル・プーチン

ロシア帝国復活を目指す独裁者。失脚すると強硬派による核戦争が起きかねないため、逆に周辺国への影響力を高めている。次期大統領選勝利は確実

危険度 7位

国際紛争の調停人

トルコ大統領

レジェップ・エルドアン

NATO内でアメリカに次ぐ規模の軍隊を誇るトルコの絶対権力者。エネルギー資源を求めて周辺諸国との「オスマン同盟」達成を目指す

危険度 8位

反米・反イスラエルの首魁

イラン最高指導者

アリー・ハーメネイー

アゼルバイジャンとアルメニア戦争の黒幕。歴史的和解をしたサウジアラビアにイスラエル・ハマス戦争終結後のシーア派国家、イラク割譲を要求

危険度 9位

最強のマネーインベスター

サウジアラビア皇太子

ムハンマド・ビン・サルマーン

70兆円規模のファンドを支配し、オイルマネーで世界に影響力を行使。アラブの盟主を目指し、イランと和解。脱アメリカと親中国路線を画策

ディープ・ステート系の黒幕は減り、非欧米系の実力者が台頭

危険度 10位

ディープ・ステートの重鎮

マイクロソフト創業者

ビル・ゲイツ

ディープ・ステートの陰謀の実行者。一時は失脚したが、世界の「AI利権」を手中にして復活。AIによる新支配システムの構築を目指す

次代の危険人物!

南米のトランプ

アルゼンチン大統領

ハビエル・ミレイ

中央銀行と通貨ペソの廃止、国家予算9割削減を主張する既存体制の破壊者。復活か破滅かしか結末がない手法に国民は国家再建を託した

国際ジャーナリスト ベンジャミン・フルフォードが「大予言」

イスラエル・ハマス戦争は「世界最終戦争」勃発を目論むディープ・ステートの謀略

『ハマスのテロ』はディープ・ステートが仕組んだ自作自演

ハマスのテロは「イスラエル版9・11」

２０２３年10月7日の早朝にイスラム武装組織ハマスが数千発のロケット弾をイスラエル国内へ撃ち込んだとされる〝騒動〟は、テロ行為として世界中から非難の声が上がった。これは国際的には「イスラエル・ハマス戦争」とされるが、イスラエル国内では「イスラエル版９・11」と呼ばれているという。

その呼び方はある意味で核心を突いている。「ハマスのテロ」とされる攻撃は、アメリカの９・11と同様のインサイダーによる自作自演だからだ。

この騒動が、かなり前から計画されていたことは間違いない。２０１２年に発行されたイギリスの雑誌『The Economist（エコノミスト）』の表紙には、「イスラエルの首相とハマスがパラグライダーで激しく衝突する」予言めいたイラストが描かれていた。そして今回、ハマスはパラグライダーを使用してガザ地区を囲む壁を乗り越え、イスラエルの国境を突破したと報じられている。パラグライダーが実戦で使用されたのはおそらく今回が世界で初めてのことだが、それが10年以上も前に予見されていたのだ。

そして、このイラストを掲載したエコノミスト誌を発行する「エコノミスト・グループ」は、ロンドン・ロスチャイルド家の影響下にある。

モサドの情報筋によると、ロスチャイルドはイスラエル建国の方針が定まった第二次世界大戦中に「イスラエルを80年間、実質統治する権利」を獲得し、その期限は２０２３年10月31日までだったのだという。ちなみに、現在のイスラエルは、新しい所有者によりロンドンで〝会社〟として登録されている。

そこでロスチャイルドは意図的に戦乱を起こし、イスラエルを国民ごとウクライナへ移動させようと画策した。

ウクライナでは、２０２２年2月24日から始まったロシアによる侵攻後、すでに３５０万人がヨーロッパ各国へ逃げ出し、２５０万人のロシア系住民はロシアへ向かい、50万人が殺されたと推定されている。

ロスチャイルドはウクライナ侵攻とハマスのテロの混乱に乗じ、歴史的にユダヤ人の聖地とされてきたウマニ地区（ウクライナ中部）を中心地とする新たなユダヤ人国家をつくろうとしたのだ。新ユダヤ人国家建設の計画自体は以前からあったもので、ウクライナ戦争勃発後のウマニ地区は、検問によりユダヤ人であることの証明書がなければ入れない地域もあったという。

ハマスというテロ組織をつくったのはイスラエル当局

もともとハマスという組織をつくり上げたのも、ロスチャイルドを含むディープ・ステートの連中だ。ディープ・ステートは、ＩＳＩＳ（イスラム国）、アルカイダ、ボコハラム、ハマス、タリバーン、アルシャバブなどのイスラム過激派組織をわかりやすい悪役に仕立て上げ、東西冷戦終結後の世界に「対テロ戦争」という構図をつくりだした。

イスラエルの新聞『エルサレム・ポスト』

ベンジャミン・フルフォード
Benjamin Fulford
ジャーナリスト、ノンフィクション作家。カナダ・オタワ生まれ。1980年に来日。上智大学比較文化学科を経て、カナダのブリティッシュコロンビア大学を卒業。その後、再来日し『日経ウィークリー』、米経済誌『フォーブス』アジア太平洋支局長などを経てフリーに。『ヤクザ・リセッション』（光文社）、『暴かれた9.11疑惑の真相』『トランプ政権を操る「黒い人脈」図鑑』（ともに扶桑社）、『世界「闇の支配者」シン・黒幕 頂上決戦』『世界を操る 闇の支配者2.0 米露中の覇権バトルと黒幕の正体』（ともに宝島社）など著書多数。

は、ＩＳＩＳに複数のユダヤ人が参加していたと報じている。負傷したＩＳＩＳの一員がイスラエルの病院で救護を受けていたとの証言もあり、その正体は欧米で特殊訓練された傭兵だったという。

　このように、でっち上げられたイスラム過激派との対テロ戦争を理由に、中近東へ介入し続けるアメリカは、戦争の火種をつくるのと同時に中東各地で地下資源を略奪してきた。

首相を信用しないイスラエル国民たち

イスラエルのベンヤミン・ネタニヤフ首相は２０２０年に汚職で起訴されている。その状況を打破するために「司法改革」と称し、政府の判断を司法よりも上に位置付ける独裁体制をつくろうとした。これに反発するイスラエル国民によって大規模なデモが連日繰り広げられると、ネタニヤフは鎮静化のために

2012年発行のイギリスの雑誌『エコノミスト』の表紙に掲載された「イスラエル首相とハマスがパラグライダーで激突する」イラスト

『エコノミスト』の毎年末の特別号は、翌年の世界経済と国際情勢を予測する内容となっており、この表紙イラストは、ディープ・ステートによる近い将来の計画を示したものだといわれている

イスラエルのベンヤミン・ネタニヤフ首相

父はロシア帝国ポーランド領時代のワルシャワ出身のシオニスト運動家で、その思想を継ぎ政界進出。1996年の首相就任以降は辞任と復権を繰り返しながら、反パレスチナ政策を主導してきた

弾圧を行った。

そんな状況下で起こったハマスのテロは、「ネタニヤフが戦争状態となったことを理由に戒厳令を敷き、それで大規模デモを黙らせるための策略だ」と多くの国民が受け止めている。そのため、イスラエル国内の世論調査では85％の国民が「今回のハマスのトラブルはネタニヤフの責任であり、ネタニヤフは首相を辞任すべきだ」と答えている。

ディープ・ステートやネタニヤフの読み筋は、「ハマスとイスラエルが戦闘状態に入れば、パレスチナを支援する周辺のアラブ諸国が続々とイスラエルへの攻撃を開始して、大規模な戦争に発展する」というものだった。

だが、反イスラエルの筆頭格であるイランは、経済制裁こそ呼びかけたものの軍事力による直接のイスラエル攻撃を実行していない。イランと友好関係にあるレバノンも、約15万発のロケット弾の在庫がありながら一発も撃とうとしない。ハマスのテロもイスラエル軍の反撃も、偽装されたものだということを、イランもレバノンも知っているからだ。

ネタニヤフの狙いは中東戦争の勃発

ガザ地区は大きな強制収容所のような状態にあり、本来ならば米一粒すらイスラエル当局の許可なく出入りすることはできない。何本もの地下トンネルでガザ地区と繋がるエジプトなどから武器や食料の密輸入は行われているが、それでも数千発ものロケット弾をイスラエル側に知られることなく持ち込むことは不可能だ。その意味からもハマスのテロが自作自演の可能性は高いというのが、イスラエルに敵対するアラブ諸国やイスラエル国民たちの認識だ。

「礫にされたイスラエルの幼児」の写真はアメリカで撮影されたものと判明

ディープ・ステートのフェイクが通じない

ディープ・ステートに代表される世界の支配者層によって、これまでに様々な〝危機〟がでっち上げられてきた。

今回も、湾岸戦争（１９９１年）の時の「油まみれの水鳥の写真」と同様に、人々の感情を刺激するためのプロパガンダが行われている。ニューヨーク・タイムズ紙は「礫にされたイスラエルの幼児」の写真を掲載し、またイスラエル政府は「焼き殺された幼児の遺体」の写真を公開した。だが前者は、壁にあるコンセントがイスラエルやガザ地区のものとは異なり、アメリカで一般的に使われている形状のものであることから、アメリカで撮影された写真だと指摘された。後者も犬の写真を加工したフェイク画像であると判明している。

イソップ童話の「オオカミ少年」の話と同じく、嘘が何度も繰り返されれば誰も騙されなくなる。とくに9・11以降、世界中で〝わかる人〟が激増し、「イスラエルとイスラム国家の対立を煽って第三次世界大戦を勃発させる」というディープ・ステートの謀略は、おそらく不発に終わるはずだ。

ユダヤ・イスラムの和平計画

情報筋によると「イスラエルとイスラムの戦争」どころか、逆に水面下では、アラブ諸国とイスラエル国内の穏健派の間で国交正常化に向けた話し合いが進められているという。

「パレスチナ」とはかつてローマ人によるユダヤの国の呼称であった。現在のパレスチナ人も、もともとこの地に住んでおり、8世紀頃にイスラム教へ改教したユダヤ民族である。

そこで現代のパレスチナ人たちを「イスラム系ユダヤ人」としてイスラエル社会に迎え入れ、同じイスラエル人として認めることでまずパレスチナ問題を解消する。その後に中東諸国とイスラエルの国交正常化を進めようというのだ。このプランが実現すれば、長らく対立と紛争が続いてきた中東地域の、多くの問題が解決する。

さらにイスラエル穏健派は、イスラム圏との和解を確実なものにするために「第三聖堂」の建設も予定しているという。

かつてイスラエルの地にあったユダヤの聖堂は古代バビロニア人に破壊され、その後に再び建てた聖堂もローマ人に破壊された。それを2000年ぶりに再建しようというのだ。

日本でもよく知られるエルサレムの「嘆きの壁」は、かつてローマ人に壊された聖堂の痕跡だと一般的にはいわれている。そのためユダヤ人たちは嘆きの壁を礼拝し、壁にキスをする。だが嘆きの壁と同じ場所にはイスラム教の3番目に大事なモスクがあり、そのためイスラム教徒たちは、ユダヤ人がこの地で礼拝することに強い拒否反応を示してきた。

だが近年の調査・研究によって、実はユダヤの神殿は、嘆きの壁とは別の場所にあったという可能性が出てきた。その説をもとにユダヤの神殿（第三聖堂）を嘆きの壁とは異なる場所に建てれば、嘆きの壁に関するユダヤ人とイスラム教徒との長年の対立はなくなる。第三聖堂の建立を求めてきたユダヤ人の念願も叶うことになる。

世界最終戦争を起こしたいディープ・ステートからすれば、ユダヤとイスラムが友好関係になれば戦争のタネがなくなってしまう。だから、是が非でもこれらの計画は阻止したいと考えており、あらゆる手段を用いて和平実現を潰そうとしているのだ。

ユダヤとイスラムの和平を潰したいディープ・ステート

米軍の不介とバイデン米大統領の退陣要求でネタニヤフの政治生命は終わったも同然

国内で「歩く遺体」と呼ばれるネタニヤフ

一般的な報道では、ハマスの背後にいるのはイランだといわれている。だが実際には、イランよりもカタールの力が大きい。カタールは西側に近い国であり、ハマスの持っている武器のほとんどはウクライナとカタールを経由して届けられた西側の武器である。

このことからも、ハマスによる自作自演のテロは、なんとしてでも中東戦争を起こしたいディープ・ステートの、悪あがきの結果であったことがわかるだろう。

9・11以前ならば、人をたくさん殺し、その情報をマスコミを使って流布すれば、恐怖ポルノで大衆を操ること

ディープ・ステートがつくったとされるイスラム原理主義組織「ハマス」
ハマスの正式名称は「イスラーム抵抗運動」。イスラエル打倒を掲げて1987年、ガザ地区を中心に創設された

ができた。だが現在は、ハマスのテロ後、逆に世界中で反イスラエルデモが起きるなど、まったくディープ・ステートの予定通りになっていない。それでも、ディープ・ステートはこの謀略を簡単に諦めることはできず、ガザ地区でもイスラエルでも、お互いの憎悪を煽るために一般の人たちが殺され続けている。

イスラエル軍の空爆を受けたとされるガザ地区のアル・アフリ病院

ハマスは「空爆によるガザ市民の被害」を、イスラエルは「人質への非人道的行為」を、互いに非難し合う広報戦が続く

このようなネタニヤフのやり方が国内から責められるのは当然のことであり、さらに、米軍も「イスラエル・ハマス戦争には介入しない」と言い出した。あまりにもイスラエルサイドの風向きが悪くなりすぎたため、ネタニヤフと電話会談を行ったディープ・ステート陣営のジョー・バイデン米大統領までもが、ネタニヤフ退陣を求め始めている。これによりネタニヤフの政治生命は終わったも同然で、イスラエル国内では「歩く遺体」と呼ばれているのだ。

イスラエル・ハマス戦争が起こってすぐ、バイデン米大統領はイスラエルのテルアビブ入りし、ネタニヤフ首相と会談

バイデンは人質解放を条件に、戦闘の一時休止とガザへの人道支援をネタニヤフに求めた

イスラエルは今回の戦争の前から周辺国への攻撃をたびたび行ってきた。イスラエル国内でモサドの工作員が自作自演のテロを起こし、それを火種として国際テロ組織のヒスボラなどを相手に戦争を起こそうとしてきたのだが、それをイスラエルの穏健派が「これはネタニヤフの謀略だから戦争はやめよう」と抑え続けてきた。

アラブの周辺国も、もともとはイスラエル建国に反対をしていたが、今となっては「できてしまったものは仕方がない」という考えが多勢を占めている。

だが、仮にイスラエルとパレスチナの2国それぞれが独立しても争いの火種は消えない。そのため、前述したようにパレスチナ人をイスラエル社会に迎え入れようという計画が進められている。しかし、ネタニヤフを筆頭に、ディープ・ステートのなかの「世界最終戦争の実現」を求める過激なカルトの一派は、なんとしても中東和平を阻止したい。今、イスラエルとパレスチナで起きていることは、その最後の対決なのである。

国際ジャーナリスト ベンジャミン・フルフォードが「大予言」

世界の支配者層が滅ぶか、核戦争で地球が滅ぶか、世界の未来はどちらかだ！

欧米の没落と変革する世界を大予測――

「アメリカとカナダが合併」「イーロン・マスク大統領誕生」「プーチン病死」「朝鮮半島統一」

2024年、アメリカの大統領選は行われない

北アメリカ共和国の誕生

2024年は西側先進国にとっての「ベルリンの壁崩壊」、つまりアメリカを中心として戦後築き上げてきた世界支配体制が崩れ去る、その始まりの年となるだろう。

様々な情報筋がアメリカの大統領選が行われる可能性は低いとみている。アメリカが国家として存続できるかどうかすら危うくなり、その結果、アメリカとカナダが合体して一つの国になる公算が高い。ソ連が崩壊してロシアが生まれたように、アメリカが崩壊して、新たに北アメリカ共和国が誕生するのだ。

この時、新国家の大統領として、イーロン・マスクが有力候補に挙がっているという。現行のアメリカの法律だと、南アフリカ生まれという出生地の問題からマスクが大統領になることはできないが、確かな筋からの情報によれば、イタリアを拠点に活動しているフリーメイソンは法改正をしてでも、マスクに新生アメリカの大統領を任せたい考えだという。

イーロン・マスク大統領が無理な場合、ダグラス・マクレガー元米陸軍大佐も新生アメリカの大統領候補に挙げられる。マクレガーはディープ・ステートの仲間ということもなく、とてもまともな人物だと聞いている。

現状では次期大統領候補と報じられるドナルド・トランプとジョー・バイデンだが、彼らはいわば同じ芸能事務所に所属する役者だ。トランプが反体制のようなことを言うのも与えられた役割としてディープ・ステートと争っているように見せているだけ。今のアメリカはディープ・ステートの演出する〝劇団政治〟にすぎず、真の民主主義はどこにもない。

経済面で見ても、すでにアメリカは破産状態にある。すべての銀行のうちの半分以上は実質的に倒産している。コロナ以前の15年間にわたってゼロ金利だったものが、8％あたりにまで上昇したことで、それまでに買ってきた国債などの資産の価値が、5割以上も目減りしてしまったのだから破綻するのは当然だ。

国家崩壊となれば戒厳令が発せられ、軍事政権による民主主義国家への立て直しが行われることになる。この時に古き良きアメリカへと戻ることができたなら、これは日本にとって悪いことではない。ディープ・ステートによってカツアゲされたり、恫喝されたり、言うことを聞かない総理が殺されるようなことがなくなれば、日本の真の独立が近づくことになる。

2024年3月までにプーチン死亡の可能性

一方、ロシアでは現行の「プーチン劇場を終わらせるかどうか」が一番のポイントとなっている。

かつて私は、FSB（ロシア連邦保安庁）の人間と会った時に「プーチンは存在しない」と言われたことがあった。その時は、何を言っているのかと思ったものだが、その後にプーチンの前妻がドイツの『ビルト』という新聞で「夫が殺されて影武者に入れ替えられたから離婚した」と証言している記事を発見した。たしかに過去からの写真を時期ごとに見くらべてみれば、耳の形が違っている。さらに写真をAIに識別させたところ、過去と現在のプーチンが別人の判定をされたというネットニュースもあった。

「プーチン影武者説」はロシア国民の間でも広く知られるようになり、そこで今、ロシア政府は「プーチンは死んだ」という情報を流し、これに対して国民がどのような反応をするかを調査している最中だという。

プーチン病死後の後継者候補はミシュスチン首相とショイグ国防相

そこで大きな動揺が見られなければ、２０２４年3月に行われる大統領選の前に「プーチン病死」のニュースが流れる可能性は高い。

後継者の候補にはミハイル・ミシュスチン首相とセルゲイ・ショイグ国防相が挙がっている。現在の政権運営でも、この2人とセルゲイ・ラブロフ外相の３人が権限を握っており、影武者のプーチンはその広報マンを務めているにすぎない。

ウクライナ侵攻に関しては、これまで何度も言ってきたことだが、もう終結したとみていい。西側諸国を渡り歩いているウォロディミル・ゼレンスキー大統領もウクライナへは戻れない。戻れば汚職などの罪で処刑されてしまうからだ。ゼレンスキーのことを支持し続けていた西側の老舗雑誌『ＴＩＭＥ』でさえ「ゼレンスキーは終わりだ」と言いだしている。

ポーランド王国の復活

ポーランドのドナルド・トゥスク元首相は２０２３年9月にウクライナへの武器支援の停止に言及したが、最新の情報ではポーランド軍自体がウクライナ入りしているという。この件はロシアのタス国営通信が報じているが、西側メディアは沈黙を続けている。

ポーランド軍のウクライナ入りによって注目されるのが、かつて14世紀から18世紀にかけて存在したポーランド・リトアニア共和国（ポーランド王国）の復活だ。ポーランドとリトアニアに加えて、ロシア民族でない一部のウクライナ人が一つの大国としてまとまる動きがある。また、この復活王国は、拡大したドイツの一部になる可能性もあるという。現在はどういう国家体制になるか、その綱引きの最中だと情報筋は伝える。

ポーランド、リトアニアとウクライナの一部が拡大したドイツに併合される可能性

２０２３年10月に行われたポーランド総選挙では、ドイツの工作員といわれるポーランドのトゥスク元首相率いる政党「市民連立」が最多の得票を得たものの、過半数には至らなかった。そういった事情もあって今後の情勢は流動的だ。

BRICSに排除された西側

イスラエル・ハマス戦争に世間の目が集まる直前、北京では「一帯一路フォーラム」が開催され、そこには世界１４０カ国以上の代表が集まった。これは、世界のおよそ4分の３の国が、中国側についたことを意味する。

これは西側にとってあまりにも都合の悪い話であり、「ハマスのテロ」は、一帯一路フォーラムへの注目を避けるために起こされたという側面もあった。

昨今、中国を含めたＢＲＩＣＳに関する多くの景気のいい話が報じられ、これを「中露によるプロパガンダ」とする声もある。だが、そもそも西側先進国にはＢＲＩＣＳを上回るような好材料が何一つないというのが実状だ。２０２３年のG20に習近平は参加しなかったが、これはつまり、西側と関わってもたいして得にはならないと判断しているためだ。

ＢＲＩＣＳとその主張に賛同する国が全世界に占める割合は、人口で約89％。ＧＤＰは60～70％だ。この数字から見える現状の正しい認識は「西側がＢＲＩＣＳに排除された」となる。

「ワクチン戦犯裁判」で裁かれるディープ・ステートの重鎮たち

２０２３年6月、ディープ・ステート陣営とされるスイスのアラン・ベルセ大統領が年内の辞任を発表した。正式に辞任となれば世界経済フォーラム（ダボス会議）、ＷＨＯ

画像生成AIでつくった「世界の最高権力者・習近平」

西側諸国の勢力が弱まった時、ディープ・ステートに代わって中国が世界の支配構造のトップに立つ可能性は高い

（世界保健機関）などの団体に対してスイス政府が発行していた外交官パスポートが取り下げられることになる。そうすると、外交特権として付与されていた治外法権の権利がなくなって、今後は、ディープ・ステートの重鎮、クラウス・シュワブをはじめとするワクチンテロを企てた連中が「ワクチン戦犯裁判」で裁かれることになる。そうなればスイスから世界を操ろうとしてきたディープ・ステートの支配者層は、もうおしまいだ。

習近平が世界のリーダーに

アメリカが終わり、プーチンが終わり、国連は再構築され、ワクチン犯罪者たちが裁かれる。そうしてこれまでの世界が一変する。

日本の戦後体制も終わるし、朝鮮半島もロシアや中国のバックアップを受けた北朝鮮が主導する形で南北統一される。情報筋は、金正恩はトランプ大統領の時代にすでに暗殺されていると伝えるが、日本の天皇のような象徴として祭り上げられることになりそうだ。韓国は世界一出生率が低い状況にあり、国力が衰退していく一方だが、北朝鮮に少子高齢化問題はない。その意味でも南北合併は北朝鮮優位のうちに進められることになるはずだ。

こういった流れで国際情勢が進んでいけば、きわめて近い将来、中国の習近平主席が世界のリーダーとなる。そうなれば、あえて台湾

習近平の一人勝ちを避けたい西側はロシアと和解

有事など起こす必要もなくなる。

習近平の一人勝ちを避けたい西側先進国は、ロシアを口説く作戦に出るだろう。「中国に支配されるよりは、同じ白人で、同じクリスチャンのロシアと組んだほうがいい」というのが西側各国の総意である。同様のことはロシア側も以前から主張していたが、これまでは西側が聞く耳を持たなかった。

さらにはEUも形骸化していく。EUに代わってヨーロッパを動かしていくのが欧州評議会だ。ロシアはウクライナ侵攻時に欧州評議会を離れているが、今後復帰して西側各国と連携しながらユーラシア大陸全域の支配を目指していくことになりそうだ。

インドが世界情勢を左右するキーマンに

こうした流れのなかで、西側もBRICSも、絶対的な味方にしたいのがインドである。そのためナレンドラ・モディ首相は今後の世界情勢を左右するほどの大きな影響力を持つことになる。BRICSで共通通貨をつくろうとした際、これに反対したのがインドだった。BRICS通貨をつくったとして、経済的影響力の大きな差によって、結局、中国の支配下に置かれることがわかっていたからだ。BRICSに加盟しながら中国を牽制し、西側とも良好な関係を保つモディの「カメレオン外交」は、急成長する国力を背景に確実な成果を上げている。

一方、西側では、イギリスのリシ・スナク首相やアメリカのカマラ・ハラス副大統領といったインド系の政治家が台頭してきた。英語圏の国々がインドに支配されているかのような状況だが、それと引き換えにしてでもインドを西側勢力へ引き入れ、インドの巨大市場や優秀な人材の力を活用することによって、瀕死の経済を立て直そうと考えているのだ。

またロシアを西側に引き入れるためにも、ロシアと良好な関係を保っているインドは重要な存在となる。

モディ首相の「カメレオン外交」でインドが国際社会の主役に躍進

世界のすべての借金がチャラになる

全世界で徳政令が発布されるとの予測も情報筋から聞こえてくる。世界の新秩序を形成するために、世界中の国の借金をすべてなくしてしまおうというのだ。

荒唐無稽な話に聞こえるか

ともにインド系のリシ・スナク英首相(右)とカマラ・ハラス米副大統領(左)
政治家だけでなく、ビジネスシーンにおいても、欧米企業CEOなどへのインド系の人材登用が増加している

もしれないが、「借金を減免する政策」は古代から世界中で行われてきた。現在の世界規模のマーケットのなかで、どこか一国だけが徳政令を行えば他国が不利益を被ることになるが、先進国も途上国も一斉に行うのであれば決して不可能ではない。

歴代のローマ法王が話す「ジュビリー」というのも同様の意味の言葉で、徳政令＋農地改革による富の再分配を表している。ジュビリーはもともとユダヤの慣習で、貧富の差をなくすための施策である。つまり新たな世界秩序を一からつくり上げるため、現状の格差社会をいったん解体しなければならないというわけだ。

ただし、これらの予測はあくまでも、世界中の政府や軍に存在する「良心派」たちが力を合わせた時に起こり得る、最善の結果を言ったものである。

逆に最悪のケースでは、ディープ・ステートを筆頭としたこれまでの世界の支配者層が悪あがきをし、核兵器による世界最終戦争を起こす可能性もある。こういった物理的な意味で、世界が壊滅するおそれがあることを忘れてはならない。

最善か最悪か――。どちらにしても2024年以降は世界規模の変革が起こることになるだろう。

衰退したディープ・ステートを排除できれば格差社会が解体され、新しい世界秩序が誕生する

画像生成AIでつくった「世界の支配者が起こした世界最終戦争」

最悪のシナリオは、ディープ・ステートが仕掛ける全面核戦争勃発という世界規模の「自爆テロ」だ

都市伝説・考察系YouTuber ウマヅラビデオが「大予言」

ディープ・ステートの司令塔「オクタゴングループ」が進める「AI」による世界支配

AIは大衆を完全管理する「人間牧場」をつくるためのツールとなりうる

YouTubeが「騙された」ことにショック

2023年3月14日、画期的な実用性を備えた生成AI「チャットGPT（有料版）」のリリースと爆発的な普及で、2023年は「AI元年」と呼ばれている。

そんな元年に相応しいAI絡みのネタを一つ。2023年10月某日のこと。YouTubeを閲覧している時に流れた動画広告に「あれ？」と疑問が浮かんだ。

その動画広告は、実在のニュースキャスターが登場し、ある投資案件を呼びかけていた。公正さが求められるニュースキャスターが投資案件のCMに出演することは基本的になく、オファーを受けるとすれば、長年の実績と社会的な信用を得ている大企業のCMぐらいだ。それが聞いたこともない投資会社だったことに違和感を覚えたのだ。

調べてみると、やはり「フェイク」だった。画面に登場していたのは、ディープ・フェイクでつくった「偽物」。パッと見、本物と見間違える出来で、「マジで偽物だったのか」と軽くショックを受けた。

それ以上にショックだったのは、YouTubeが「騙された」ことだった。ネット関連においてYouTubeは「世界一厳しい広告審査基準」を設定していたからである。

メディアの信用度は、メディアが提供する報道や番組の「質」ではない。実はCM＝広告なのだ。誰もが知っている有名企業、社会的な信用を持つ大企業がCMや広告を出稿することでテレビや新聞はメディアとしての「信用」を得る。同様にYouTubeも大企業やグローバル企業がバンバン出稿するようになって、国家や自治体が活用するほどの社会的信用を持ったメディアになった。

それだけにYouTubeは常にネット関連で「世界一厳しい審査基準」を設けて怪しげな広告を徹底的に排除し、他のネット関連サービスとの差別化に成功してきた。

そのYouTubeが、ディープ・フェイクでつくった偽動画に、あっさりと騙されたのだ。驚くなというのが無理だった。

そこから考えると、あの偽動画にはYouTubeの広告審査をすり抜ける〝仕掛け〟が施されていたのだろう。画面に小さく「登場人物は生成AIでつくったキャラクターです」とテロップが打ってあったとか、投資案件への呼びかけに関しても、広告審査で引っかかる「禁止ワード」をきちんと排除していたのかもしれない。

ネット広告を扱う広告代理店には、ネット

YouTubeの「世界一厳しい広告審査基準」をすり抜けたディープ・フェイク

ウマヅラビデオ
2011年にウマヅラ（左）がYouTuberとして活動開始。2016年にべーこん（右）、2017年に否メンディー（中央）が加入し、3人組体制に。2018年から陰謀論や都市伝説の考察を始め、チャンネル登録者数が急増。2023年11月時点での登録者数は約137万人。著書に『シン・人類史』『アナザー・ジャパン』（ともにサンマーク出版）、ベンジャミン・フルフォードとの共著として『世界を操る 闇の支配者2・0 米露中の覇権バトルと黒幕の正体』（宝島社）がある。

数年後、AIを使った特殊詐欺の被害者数と被害額は、過去最高レベルに達する

メディアごとに審査基準をクリアする条件がデータ化されているとされる。偽動画の制作者は、そのデータに（不正に）アクセスしてAIに分析させ、YouTubeの審査をクリアした可能性があるのだ。

もちろん、YouTube側も広告審査用のAIに今回の事例を学ばせてディープ・フェイクへの対応を強化していくはずだ。だが、先の偽動画もYouTubeほど厳しい審査基準のないサイトに、「審査の厳しいYouTubeで取り上げられた」というテロップ画像とともに出稿していても不思議はない。ネット関連では、最も信用を得たYouTubeの「信用」を乗っ取るのが目的だったとすれば、AIを犯罪ツールとして見事に活用していた事例といっていい。

「あえぎ声」などを生成する闇ビジネス

チャットGPTの有料版の登場からわずか半年、相応にAIを使いこなすユーザーが急増するなか、AIを違法ビジネスや詐欺に悪用する事例も増えてきている。

その結果、世の中がどう変化するのか。

2023年10月に起こった岸田文雄首相の「偽物」騒動もAIの悪用の一つだ。日本テレビのニュース番組の動画を声の生成AIでアテレコ（声入れ）し、岸田首相にわいせつな発言をさせた。犯罪や政治的な意図はない単なるお騒がせ動画だったが、声の質感や特徴的なしゃべり口まで、そっくりに再現したことが世間を驚かせた。「声の乗っ取り」は、ある程度のITスキルがあれば簡単にできてしまう実態を証明したからである。

声のサンプリングによる乗っ取りは、人気声優やアーティストを中心に被害が拡大している。人気アイドルやタレントの声を乗っ取り、注文者の要求通りに、「あえぎ声」などを生成して違法に売買する闇ビジネスが始まっているという。

問題は、声の生成AIをチャットGPTのような汎用型AIと組み合わせた場合、ただでさえ被害が続く特殊詐欺の驚異的な進化に繋がりかねない点にある。

現在の特殊詐欺は、まず「かけ子」と呼ばれる電話オペレーターが資産情報などを集め、そこからターゲットを絞り込んで、お金を引き出すまでの流れを段取りする。そして実際にキャッシュカードで現金を引き出す「出し子」や、強盗として現金を奪う「たたき」に情報を流し、指示を出すことで成り立つ。特殊詐欺は、とにかく電話をかけまくり、ターゲットの分母を増やすことで成功率を上げる。よって、かけ子の役割が最も重要視され、詐欺グループの幹部は概ねここを仕切る役割を担っている。

日テレ NEWS24 LIVE
BREAKING NEWS 岸田首相「確かにいたしました」
投稿者: (8月16日(水)07時14分22秒)

SNSで拡散された岸田文雄首相のフェイク動画（ニコニコ動画より）

「日テレ」の報道番組の正式ロゴを使ったことで、投稿者は日本テレビから提訴された

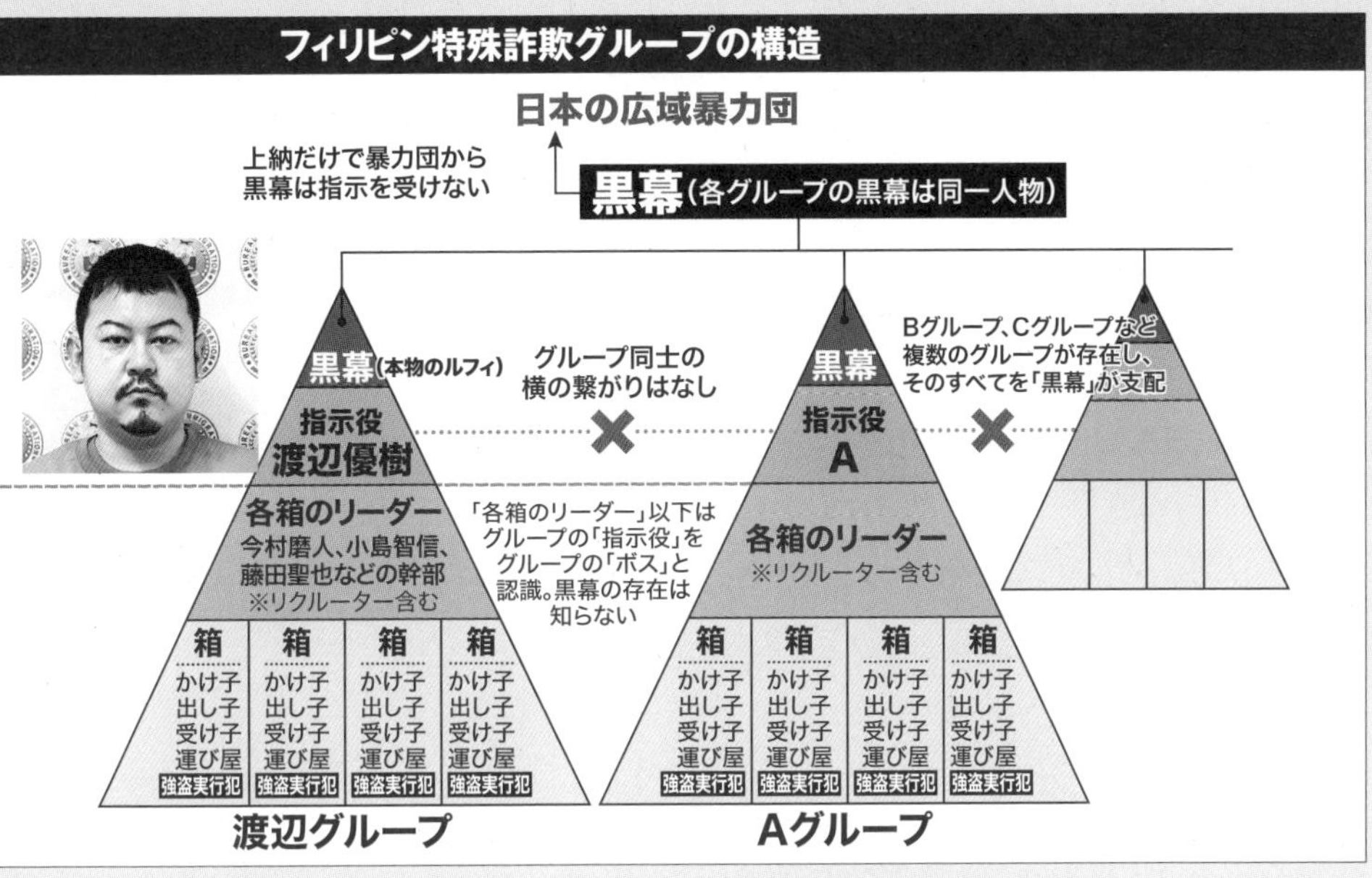

大量の人員を必要とする特殊詐欺グループ

これまでの特殊詐欺では図のように大量の人員を必要としてきたが、近い将来、AIの導入でわずかな人数の幹部だけで特殊詐欺が実行できるようになると予測されている

特殊詐欺グループの「かけ子」の活動拠点

「ルフィ事件」の主犯格とされる渡辺優樹被告の特殊詐欺グループの拠点。マニラのビルを借り上げ、大量のかけ子の活動拠点として使用していた（2019年11月、フィリピン入管が撮影）

問題点として、大量のかけ子の活動拠点をつくれば、怪しげな集団のいる場所として通報されるリスクが高まる。また、大量に雇ったかけ子のなかには、明らかに電話の口調と声がまともな人間とは思えない〝使えない〟人間も混ざる。電話相手に怪しまれることも、通報される原因となる。さらに、「大金が入った」などとSNSに書き込むうかつな行動をやらかす人間も出てくる。要するに、人間を多く使うほど犯罪は足がつきやすく、逮捕される確率も上がる。

だが、声の生成AIをチャットGPTに組み込めば、近い将来、大規模拠点も大量のかけ子も必要がなくなることが予測される。

現在の技術でも、声の生成AIなら真面目な公務員やエリート社員風の声、仕事のできるキャリアウーマンっぽい声がいくらでもつくれる。そしてAIの進化速度を考えれば、自然な音声会話ができる日はそう遠くない。最適な声の質、会話のパターンを使い分け、必要な情報を確実に引き出せるようにAIは勝手に進化していく。

騙すためのストーリーや演出も過去の事例を学ばせていけば、どのパターンがどの対象に有効か、臨機応変な対処も学んでいく。つまり、「特殊詐欺に特化した生成AI」をインストールした高性能PCが数台あれば、自動的に電話をかけ続け、特殊詐欺のターゲットを自動で仕込んでいく。

　そうなれば、少数の幹部でＰＣの管理をすればいいだけなので、拠点もかけ子も不要となり、逮捕リスクも格段に下がる。また、特殊詐欺の成功率が上がれば、そのグループが持つ「特殊詐欺に特化した生成ＡＩ」はダークウェブなどで高値で取引されるようにもなる。

　さらに、動画生成アプリの能力がアップすれば、テレビ電話を通じたディープ・フェイクによる特殊詐欺も、それなりのＩＴスキルがあるだけで可能になる。声だけでなく動く姿を見せることで相手の信用はさらに高まり、犯罪の成功率は飛躍的に上がるだろう。

　ＡＩの進化は、間違いなく人類の生活に想像を超えた恩恵をもたらす。しかし、数年後、ＡＩを使った特殊詐欺の被害者数と被害額は、過去最高レベルに達する。残念ながら、そう予言できるのだ。

ＡＩで生成した「悪意ある動画」の悪用

　さて、生成ＡＩの犯罪でいえば、２０２３年５月に大規模な「金融市場操作」が行われたとされる。ホワイトハウスやペンタゴン（米国防総省）が、あたかも爆破されたような画像や動画を生成ＡＩで作成し、「有名なニュース番組がこのテロ事件を取り上げた」かのようなフェイク・ニュースをでっち上げた。それをＳＮＳで拡散し、その結果、一時的にニューヨークダウ平均が80ドル下がり、為替相場も動いた。その裏では株価や為替の動きを事前に予測して空売りなどで莫大な利益を得た組織があったといわれている。このような、ＡＩを使った株価操作が容易になれば、世界の金融市場は取り返しのつかないレベルで大混乱となるだろう。

　こうした金融市場にさえ影響を与える「リアルな大規模テロや災害動画」「リアルなニュース番組」は、繰り返すが、ＡＩを使えば簡単に生成できる。

　２０２４年、チャットＧＰＴの登場から１年経てば、高度なＡＩスキルを持った人間は相当な人数となっているだろう。岸田首相の「偽動画」のような愉快犯的にフェイク動画を拡散させる人間だけではない。企業や団体に対して「悪意ある動画」をつくり、それで恐喝を企む人間も間違いなく増える。一時期、ＳＮＳで話題となったバイトテロは、文字通り「意図的にテロをするバイト」だったとしても不思議はなかった。ライバル企業の嫌がらせとして雇われた、株価下落の空売りで儲けようとした勢力の存在があった可能性も、ゼロとは言い切れないだろう。そんな企業テロを生身の人間ではなく、生成ＡＩで行い、

SNSの複数のアカウントで拡散された「国防総省付近で爆発が起きた」とする偽画像
スマホ画面では「生成AIでつくったニセモノ」と判断できず、本物と信じた一般人によって一気に拡散された

企業への恐喝や株価操作に悪用することが造作もない時代になっていく。

そうなれば、ネットで閲覧できる動画やニュースサイト、X（旧ツイッター）といったSNSの情報は、近い将来、フェイク・ニュースやフェイク動画で確実に氾濫する。今現在でも約75％のSNSユーザーが「フェイク・ニュースを見抜けなかった」という調査結果が出ている。より精巧なフェイク動画がネット上に蔓延していけば、人々は「何を信じていいのか」わからなくなっていくはずだ。

しかも、既存のテレビ、ラジオ、新聞、雑誌といったオールドメディアは、ネット経由によってスマホやタブレットで視聴・閲覧される割合が日増しに上がっている。地上波テレビの報道番組がAIによって偽番組に変えられ、それが拡散するようなケースが激増すれば、多くの人々は既存メディアの情報を信じなくなり、ますますメディア離れを起こしていくと予想できる。

そうなれば、どうなるのか。結局、信用できるのは巨大IT企業のメディアか、国家が管理するNHKのような国営メディアばかりに強く依存するのではないだろうか。誰もが「大本営発表」を疑いもせず、喜んで受け入れていくのだ。

強固な情報統制と世論操作を求めてきた巨大IT企業や、国家の裏側で権力を握ったディープ・ステートなどの支配者層にとって、実に理想的な社会の到来を意味する。

2024年以降、まずはAIを使った犯罪が拡大する。その過程で生成AIのフェイク動画やフェイク・ニュースがネット上に蔓延し、既存メディアの信頼度が地に堕ちる。その果てに「大本営発表」を受け入れる人間が激増。一部の支配者層にとって理想的な「管理社会」が生まれるのだ。

この「予言」の成立には、詐欺広告や特殊詐欺といった犯罪行為を通して学習していく悪質なAI技術の進化が前提となっている。そう考えると、チャットGPTに代表される、現在の使い勝手の良すぎる生成AIは「楽に儲けたい」「人よりいい思いがしたい」というあさましい人間の「欲」を強く刺激している気がしてならない。

これほどまでに人間の欲をかき立てるAIが、2022年になって突然、タダ同然でバラまかれたのは、果たして偶然なのだろうか。

フェイク・ニュースによるメディア離れの加速で支配者層にとって、実に理想的な社会が到来

オープンAI社共同創業者 サム・アルトマン

高性能な汎用型AIの民間使用に反対していた共同創業者のイーロン・マスクを事実上追放し、AIブームの仕掛け人となった。2023年4月に来日。岸田首相自らが歓待した

都市伝説・考察系YouTuber ウマヅラビデオが「大予言」

コロナワクチンによる「老化加速」で高齢者の「大量死」が発生！

mRNAワクチンを使った“老人の間引き”という人口調整

日本の超過死亡数はコロナ禍以降、40万人を突破

コロナ禍以降「老衰」で亡くなる人が激増

現在、恐るべき「人口調整」という社会実験を日本政府が行っている……そんな疑いを最近持つようになった。

きっかけは、街の風景だった。ふと「最近のお年寄りは年寄りっぽくなったな」と感じた。杖をつき、手押し車でヨタヨタとしている人が増えた気がしたのだ。コロナ禍前は逆に「元気な年寄りがホント多いよな」と感じていた分、違和感を覚えたのだ。

この認識はどうやら間違っていなかったようだ。

人口動態統計でもコロナ禍以降から現在まで「老衰」で亡くなる人が激増していたからである。例年の水準より増えた死者数を「超過死亡数」というが、この超過死亡数が２０２０年のコロナ禍以降から２０２３年9月現在まで、実に40万人を突破しているという。

厚労省の人口動態統計によれば、２０２０年度まで日本人の死者数は１４０万人台で安定推移していたのが、２０２１年度になって急増、さらに２０２２年度は１５８万２０００人。急増した前年度から、さらに13万人も増えているのだ。死因の第一位が老衰であり、毎年20%前後の高い伸び率を示している。明らかに老人たちが急速に「老化」していることがデータから読み取れるのだ。

科学雑誌『ネイチャー』でも「（日本人の超過死亡数が）コロナ感染死の6倍以上というのは常識で考えられない」と２０２２年３月の時点で問題視されていたほど。しかもその後、さらに伸び続けているのだ。この日本で何かが起こっているのは間違いない。

統計グラフから超過死の増加は、明らかにコロナワクチン接種回数とピタリと一致する。何かしらの因果関係があるのは間違いないところだ。

ワクチン問題といえば、陰謀論として「ワクチン内に極小のチップが埋め込まれている」とか「不妊化する成分が混入されている」といったネタが定番だ。しかし医学的なエビデンスから検証していくと、別な問題点が浮かんでくる。コロナワクチンによる「老化加速」現象である。医学界でも指摘されるようになった。この視点を検証してみたい。

コロナワクチンとブースト接種は「老化加速剤」と「老化加速の医療行為」

高齢者の血管がボロボロに

コロナワクチンの最大の特徴は「ｍＲＮＡ」という技術で、新型コロナウイルスのスパイクタンパク質を抗原として細胞につくらせる点にある。このｍＲＮＡという技術を使うことで、コロナワクチンは3回接種すれば、感染拡大を抑制できるとされた。実際、渡航制限の解除やイベント参加条件などで3回接種を義務づけていたのは、そのためだ。

この3回接種による効果は、体内の「免疫に大きな影響を与える」ことで起こる。ブースター接種（3回以上の接種）の最大の効果は抗原となるスパイクタンパク質が大量発生する点にある。ｍＲＮＡは周辺細胞、とくに血管細胞に自己複製用の遺伝子を次々と転写し、スパイクタンパク質をつくらせる。ブースター接種は、これを最大化するわけで、スパイクタンパク質の大量発生で免疫が過剰に反応し、免疫細胞であるＮＫ細胞やキラーＴ細胞の活性化を促す。こうして活性化された免疫細胞はコロナ抗原を最優先で攻撃するようになる。ブースター接種は体内の免疫システムを「コロナ特化型」につくり替え、コロナへの抵抗力を格段に強める。これでコロナに感染しても劇症化せず、感染力も低下する効果が生まれるとされている。

しかし、その弊害は無視できるものではない。過剰ともいえる免疫反応によって強い副反応が出ることはよく知られている。この副反応は増殖した抗原に対する過剰な抗体反応の結果だが、さらに血管内では抗原と抗体の大量な廃棄物が巨大な塊、つまり血栓となることが最近の研究で判明している。しかもｍＲＮＡに転写されて抗原（スパイクタンパク質）を産出するようになった血管細胞まで免疫システムが攻撃し破壊する。血管がボロボロになってしまうのだ。

健康のバロメーターの一つに「血管年齢」がある。血管は加齢とともに脆く薄く硬くなる。それで血管の状態から健康度と加齢度を出すわけだ。

コロナワクチンをブースター接種していけば、先に述べたメカニズムで血管はボロボロとなる可能性がある。健康な若者ならば血管はすぐに修復される。しかし高齢者はボロボロとなった血管によって肉体は接種前よりどんどん衰える。血管年齢が急上昇することで「老化」が一気に加速していくのだ。

さらに体内で大量増殖したスパイクタンパク質は、心臓・肝臓・腎臓（女性は卵巣も）に溜まっていくことがわかっている。これもブースター接種するたびに、これら重要な臓器が免疫作用によってどんどん破壊され、機能が衰える。これも老化へと繋がる。

コロナワクチンのブースター接種とは、裏返せば「老化加速剤」と「老化加速の医療行為」と理解できるだろう。

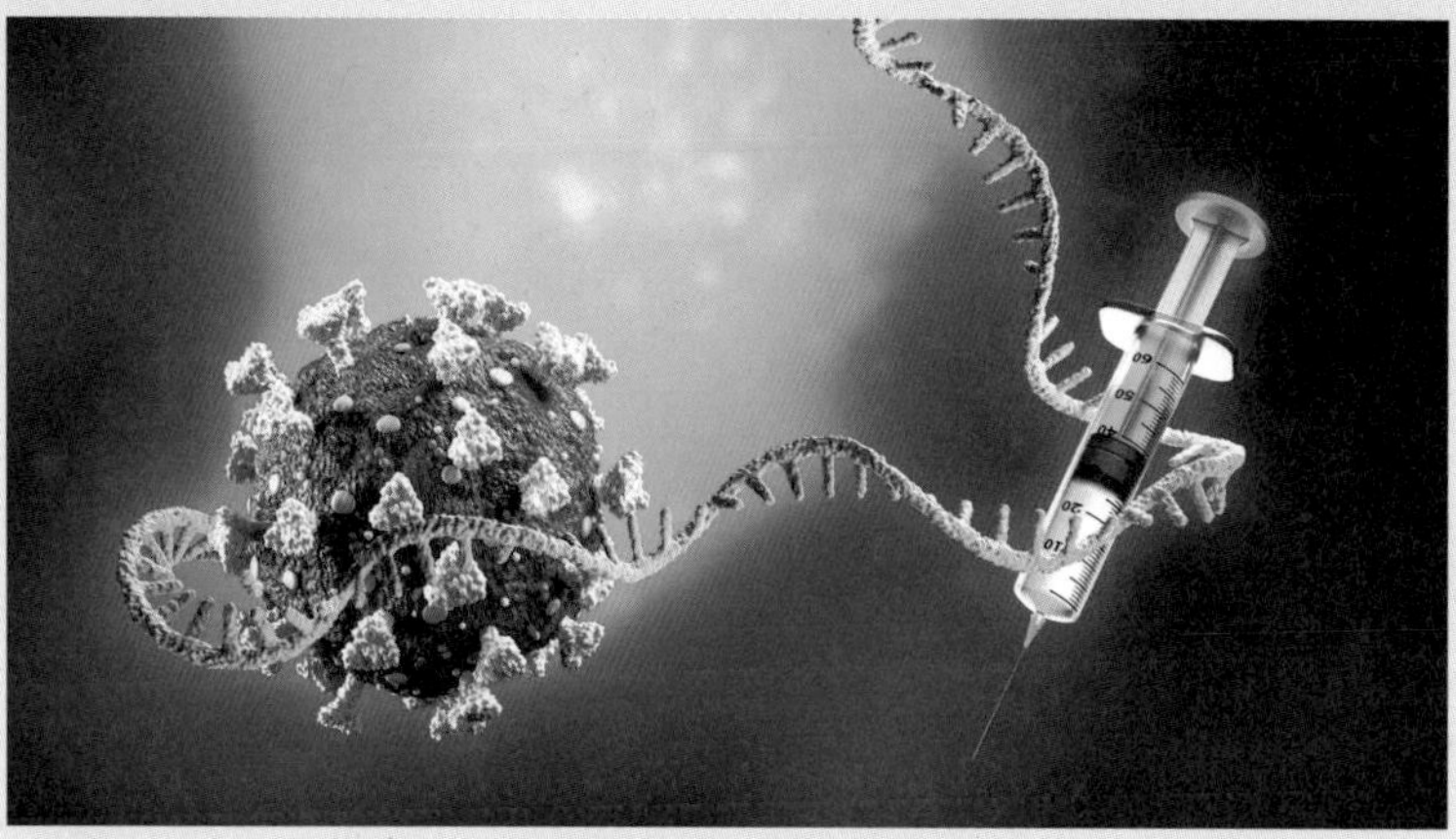

新型コロナワクチンに用いられたスパイクタンパク質「mRNA」

mRNAは逆転写酵素で自身の遺伝子を他の細胞に転写する。コロナワクチンは、この特性を使い、新型コロナウイルスのスパイクタンパク質を体内で大量増殖させて抗体を強化する

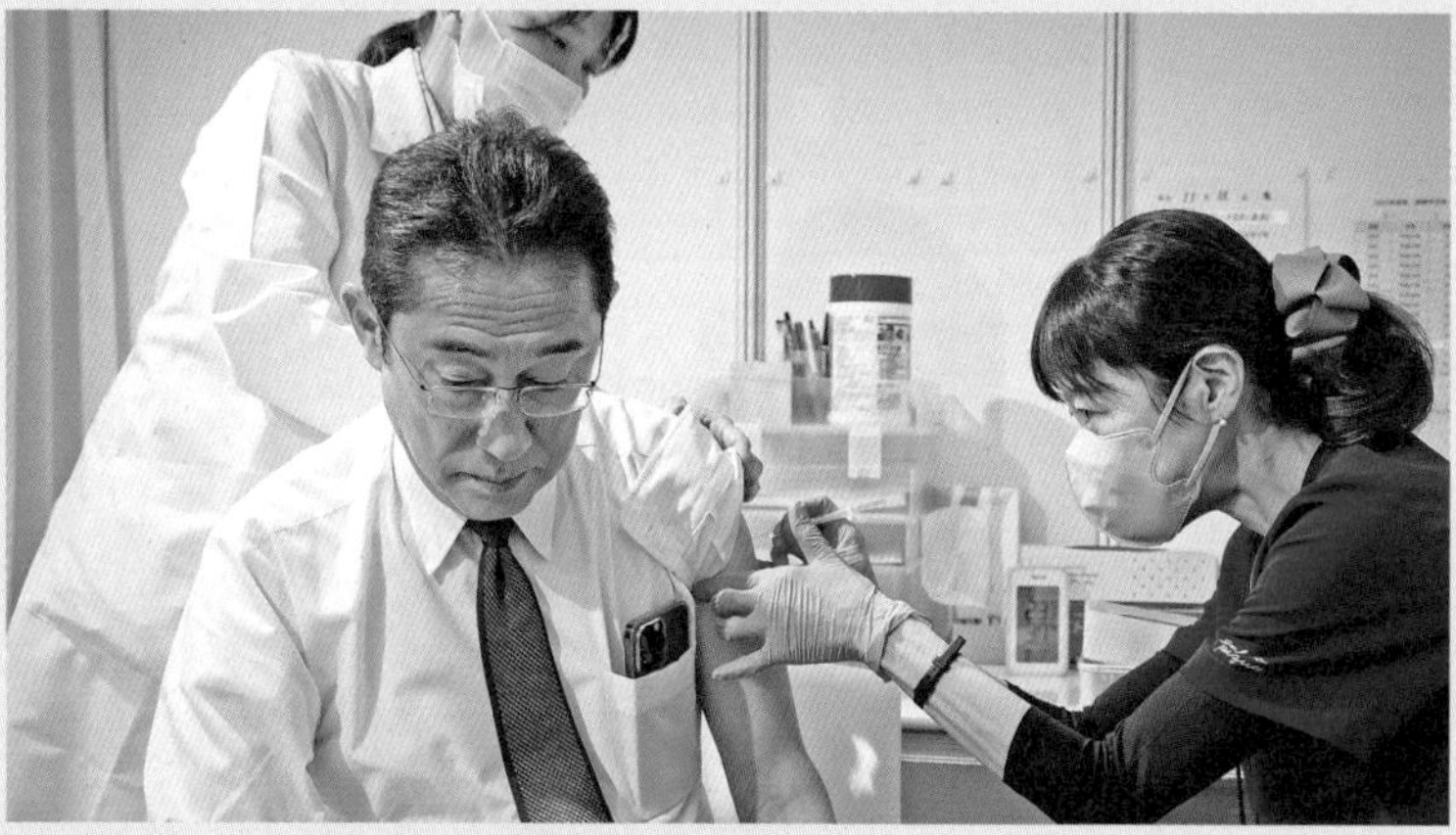

2023年11月に岸田首相は7回目のコロナワクチンを接種（ファイザー社製）

東京都庁のワクチン接種会場でオミクロン株派生型「XBB.1.5」対応のワクチンを接種

ワクチン10回接種のマウスが全滅

世界の医学界が驚くほどの日本の異常な「超過死亡数」は、前人未踏というべきワクチン接種7回に達した高齢者層のブースター接種にあるのでないか……。

しかも「本番」はこれからという恐ろしい予測も出ている。

２０２１年9月、世界の医学界に衝撃が走った。マウスを使った動物実験で、コロナワクチン（ｍＲＮＡタイプ）接種5回目以降、死亡するマウスが増加していき、「8回接種」で全滅したという研究結果が発表されたのだ。

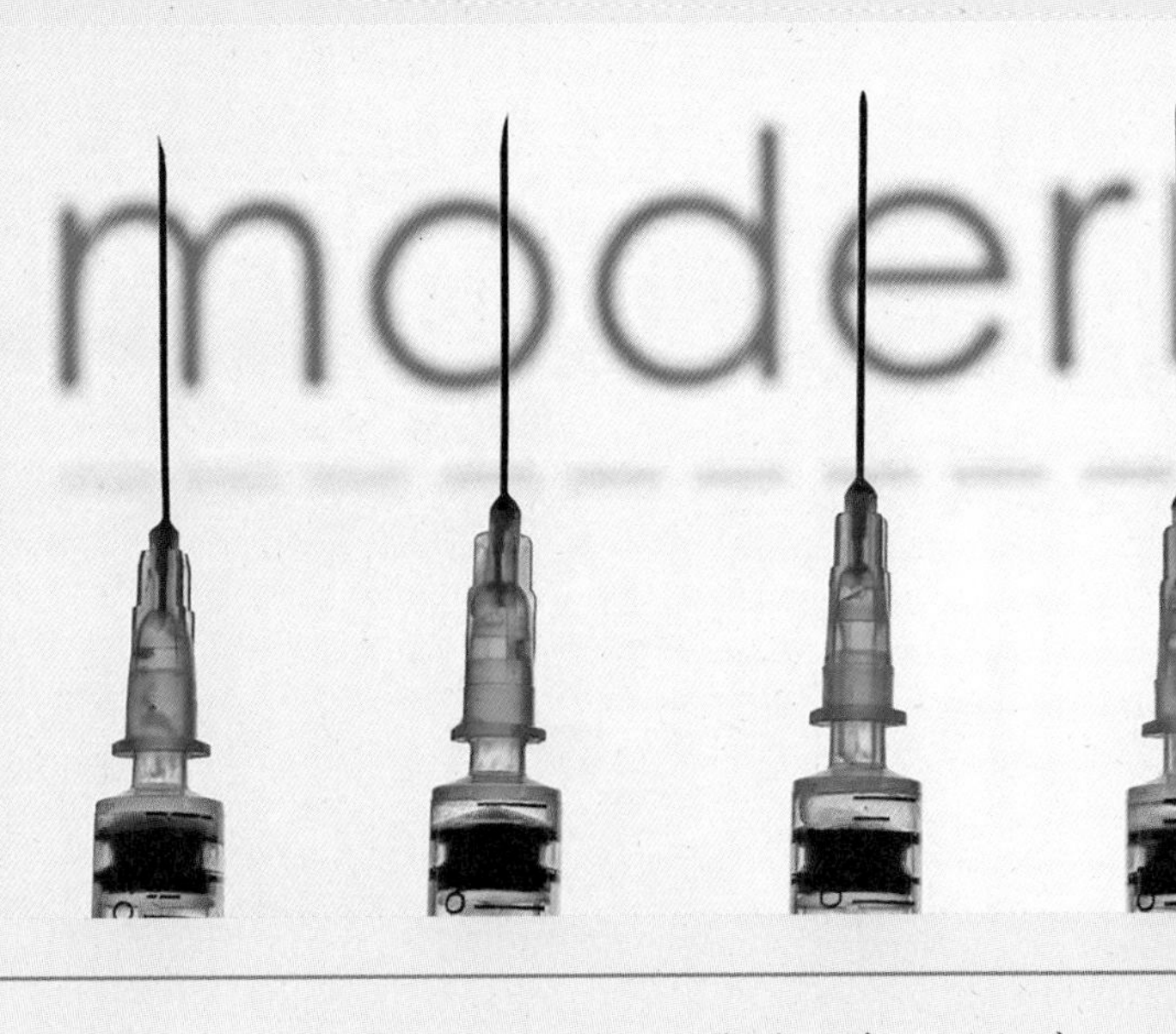

**2025年の承認を目指すモデルナの
コロナ・インフル混合ワクチン**
2010年の創業時の社名は「ModeRNA」だったように、mRNAを使った医薬品に特化したバイオベンチャー

各国が「3回接種でひとまず終了」させているのはそのためなのだ。マウスと人体では単純な比較はできないとはいえ、「全滅のボーダーは10回前後」ではないか、と推察されている。ちなみに、このマウス実験のニュースを大々的に取り上げた日本のテレビや大手メディアは皆無だったとつけ加えておきたい。

この全滅というボーダーラインは、間もなく日本で確認されるかもしれない。すでに10回超えのシステムが登場しているからである。

モデルナ社が開発したmRNAタイプに変更して効果を高めたインフルエンザワクチンと、コロナワクチンとの二種混合ワクチンの発売である。

おそらく、いや、間違いなく日本の高齢者層は、この新型二種混合ワクチンに飛びつくはずだ。インフルワクチンでもmRNAタイプならば、先のメカニズムで老化は加速する。接種10回というボーダーを超えてしまう老人の数が増えた時、何が起こるのか。

それは高齢者層の〝大量死〟ではないのか。

もちろん、これを防ぐ手立てはある。高齢者層が信用している「テレビ」が、現時点で起こっている「超過死亡数の増加がワクチンのブースター接種による可能性」と大々的に取り上げればいいのだ。しかし、テレビがワクチンを「薬害」として取り上げる可能性は低いだろう。そもそもワクチンを製造するビッグファーマ（巨大医薬品メーカー）はテレビ局の重要な大スポンサー様だ。しかもワクチンとしての効果は医学的にも証明され、副反応などの弊害も明らかにしている。「（老化による寿命の短縮は）自己責任」として扱い、地上波テレビがスポンサーを怒らせてまでワクチンの危険性をニュースとして取り上げることはないといえる。

事実、YouTubeでの配信ですら、ワクチンの危険性に言及することはグーグルのガイドラインで禁止となっている。無料で視聴できる動画やサイトの多くが、ワクチン問題には触れないようにしている。ウマヅラビデオも有料会員向けのクローズした番組でしか扱えない状態なのだ。

もともとネットにアクセスしない高齢者層たちが、ワクチンの危険性を認識する可能性はきわめて低く、今後も接種を重ねて、10回のボーダーを越えていくと考えられるのだ。

インフル対応の新型二種混合ワクチンで高齢者層の〝大量死〟はさらに加速か

画像生成AIでつくった「日本の超高齢社会」

世界トップの超高齢化で2000年代以降、日本経済は失速した状態が続く。その対策はAIの普及と移民受け入れしかないとされる

「国益」に叶う高齢者の大量死

なにより恐ろしいと思うのが、高齢者の大量死は「国益」に適ってしまっている点だ。世界最高レベルで少子高齢化社会となっている日本では、高齢者の福祉予算（医療費・介護補助金・年金支給）がすでに限界水準へと達している。当然、高齢者数が減少していけば、福祉予算の軽減に繋がる。ただでさえ防衛費を倍増するのだ。高齢者数が減少で原資となり得る金額は捻出できてしまう。

それだけではない。高齢者層は、資産（不動産・預貯金・高額な死亡保険）を持つ人が少なくない。死亡すれば、これらの資産は世界一高いといわれる相続税でがっぽりと国庫に入る。また遺産を相続した人たちは、それで旺盛な消費活動を行うだろう。税収アップと景気対策に繋がるのだ。

ここにきて岸田文雄首相が、防衛費を増額し、異次元の少子化対策を打ち出した背景には、「高齢資産家の大量死」を前提にしているのか、と穿った見方をしたくなる。本気で高齢者のブースト接種を止めるには、国家レベルで「やめろ」という必要があるのに、なぜ、しないのか？　これが理由ではないのか、と。

現状、高齢者たちは大喜びでワクチンを接種している。理由の一つは若者たちのように

「高齢資産家の大量死」を前提にした防衛費の増額と異次元の少子化対策

強い副反応が出ないことが挙げられる。実際、若者世代から50代までの層ではワクチン接種で40度近い高熱が出て「接種病欠」する人は少なくなかった。ところが、もともと免疫力の低下している高齢者の場合、この過剰な副反応が出ない。せいぜい微熱で済んでしまう。花粉症でも高齢者ほど症状が軽くなるのと一緒なのだ。

高齢者ほど多い「ワクチン信奉者」

またコロナ感染は、何らかの持病を持っている高齢者の死亡者を一気に増大させた。テレビが煽ったこともあるが、高齢者は新型コロナを過剰なほど危険視し、そんな危険なウイルスを退治するワクチンへの期待から大量の「ワクチン信奉者」を生み出してきた。

老人たちにとって病院とデイサービスなどの介護施設は不可欠な存在だ。高齢者の冗談に、「病院に来なかった人を『●●さん、病気なのかな?』」というネタがあるぐらい病院通いは老人たちにとって生活の一部になっている。この暇に任せた通院が医療費圧迫の主要因となっているともいわれている。

コロナ禍では、高齢者の憩いとなっていた病院通いが禁止となり、また入院している知人や家族のお見舞いもできず、それが強いストレスとなっていた。

病院通いやデイサービスを受けるには、安全性のためにごく最近までワクチン接種が義務となっていた。これまで通りに病院通いやデイサービスを受けたい老人たちにすれば、ワクチン接種は常識であり、マナーとなる。たいした副反応も出ず、しかも無料となれば打たない理由はない。「みんなでワクチン接種に行こう」というノリが「7回接種クリア」という世界トップの過剰接種者を大量に生む背景となってきたのだろう。

それにより老化が加速し、老衰死や突然死が急増している可能性が高いわけだが、現時点で日本政府が「mRNAタイプのワクチン」を禁止する動きはない。むしろ、国際競争力を高めるためにワクチンビジネスを推奨しているのが実情と考えられはしないか。

mRNAワクチンを使った「老人の間引き」という人口調整を日本政府が率先して行っている確証はない。ないが、データと状況を見ればどうしてもそう考えてしまう。これらが私の個人的な妄想であればいいのだが……。

日本の国際競争力を高めるために政府がワクチンビジネスを推奨

防衛費増を表明している岸田首相は2023年11月、航空観閲式に出席

2022年12月、岸田首相は、5年間で43兆円、防衛予算をGDP換算で従来の倍となる2%にする国家安全保障戦略（NSS）を閣議決定した

都市伝説・考察系YouTuber コヤッキースタジオが「大予言」

イルミナティカード「Bank Merger（バンク マージャー）」が予言する“円の消滅”と“新世界共通通貨の発行”

新札発行で「預金封鎖」が行われ日本国民の貯蓄がほぼなくなる！

画像生成AIでつくった「日本国民の貯蓄がなくなる！」
©Midjourney2023

お金が引き出せなくなる「預金封鎖」

とーや　突然ですが、読者のみなさんはどのくらい貯金をしていますか？

コヤッキー　いきなり突っ込んだ話をしてきますね。

とーや　ちなみに僕はほんの1年ほど前の貯金残高は666円で、都市伝説ユーチューバーとして謎の誉れを感じていた頃もありました……。

コヤッキー　びっくりな数字ですが、僕たちのチェンネル登録者数は100万人超えなのに、なんでそんなに少ないんですか？

とーや　ひとまず僕の貧乏話はいったん置いておきましょう。とにかく、みなさんご存じの通り、お金は生きていくうえで必要不可欠なもの。しかし今回は、残念なお知らせ。今、あなたが大切に貯めているそのお金が、2024年にはほとんどなくなってしまう可能性があるんです。

コヤッキー　……嘘でしょう？

とーや　そう思う方が大半かもしれませんが、実は過去の歴史をみても十分にあり得る話なんです。まず、みなさんは「預金封鎖」という言葉をご存じでしょうか。

コヤッキー　あまり耳馴染みがないですね。

とーや　そうですよね。これは一言でいうと、「銀行からお金が引き出せなくなる施策」です。

コヤッキー　自分が預けているお金が自由に引き出せなくなるなんて不便だろうし、非現実的に感じますね。

とーや　そうなんですが、実は過去に日本で預金封鎖が行われたことがあるんです。一度目は第二次世界大戦後の1946年で、当時は一つの家庭や企業につき20万円までしか引き出せなくなりました。これは当時の小学校教員の初任給が400円くらいなので、現在の貨幣価値にするとものすごい大金です。個人で一度にそんな大金を使う機会はないかもしれませんが、給料だけ入れる口座と支払い用の口座などの複数の口座を持っている富裕層や、企業からすれば困ったことになります。

コヤッキー　ひどい話ですね。だけどそれは、事前にわかっているなら銀行から引き出して家で保管してしまえばいいのでは？

とーや　それも無駄な行為だったんです。というのも、第二次世界大戦後の預金封鎖のタイミングで日本政府は新札を発行し、旧札の使用をできなくしたんです。

コヤッキー　つまり、銀行に預けていない「タンス預金」をすべて使えなくなったと……。

新札の発行で、旧札の使用が不可能に

コヤッキースタジオ
巷に転がる都市伝説を紹介するYouTubeチャンネル。都市伝説テラーのコヤッキー（左／主にツッコミ）と都市伝説アンバサダーのとーや（右／主にボケ）の掛け合いが好評。2019年にYouTubeチャンネルを立ち上げ、登録者数は約117万人（2023年11月時点）。明日、友達に話したくなるような都市伝説をほぼ毎日更新。トークライブなどのイベント活動も積極的に行っている。著書に『コヤッキースタジオ都市伝説 Lie or True あなたは信じる？』（KADOKAWA）がある。

とーや　そう。それでみんな、新札に替えざるを得なかったわけです。そして国民のタンス預金をあぶり出したうえで、財産税の名目で日本国民の財産に最大90％の税金を課しました。

コヤッキー　これはもう、隠し持っていた全財産を没収したと言っても過言ではありませんね。とはいえ、それは80年も前の話で、現代でそんな社会になるとは考えにくくないですか？

とーや　そんなこともないんですよ。海外をみると、１９９０年にはブラジル、１９９８年にロシア。２０００年代に入ると２００１年にアルゼンチン、２００２年にウルグアイ、２０１３年にキプロス、２０２１年にレバノンで、預金封鎖が実施されています。

コヤッキー　そんな頻繁に⁉

とーや　そう。世界でこれだけ行われているのなら、日本でもいつ起こっても決しておかしくないですよね。

1946年の「預金封鎖」で銀行窓口は大混乱に

当時の幣原喜重郎内閣は予告なしに預金封鎖を決行。混乱した国民が銀行へ押し寄せる事態に

アルゼンチンでは「預金封鎖」で経済的な大混乱に陥り、暴動が発生

2001年に起きたアルゼンチンの預金封鎖では、国民の不満が爆発し「経済暴動」が勃発。暴徒は商店を襲撃して略奪を繰り返し、少なくない経営者が自殺に追い込まれた

預金封鎖実施の条件が揃う「借金大国」日本

コヤッキー　でも預金封鎖って、実施したら確実に国民の政府への信頼がガタ落ちしますよね？　政府はなぜそんな政策をしてしまうんですか？

とーや　目的は大きく分けて3つといわれています。1つ目は、国民の財産の把握。現在の日本では、別のルートでも国民の財産を政府が把握しようとしていることはご存じのはずです。

コヤッキー　例のアレですか……。

とーや　そう、マイナンバーカードです。日本では現在マイナンバーカードと口座を連携させ、国民がどれだけ財産を所有しているか把握しようとしています。マイナポイントなどを国民に渡して普及率を底上げしていることからもうかがえますね。

コヤッキー　たしかにマイナンバーカードって、最初は「つくってもつくらなくても自由」みたいな風潮だったのに、最近では運転免許証との紐づけまで検討されていて、もはや義務感が出てますもんね。

とーや　実際に株や投資、それに所持している金（ゴールド）や、さらには海外にある資産などもすべて日本政府に把握されているといわれています。これは表向きには脱税や税金逃れをあぶり出すためともされていますね。そして2つ目は、国家の財源の確保です。これは借金が多い国にありがちな話なのですが、国民の財産を使って国の借金を支払うという、なんとも理不尽な理由です。

それを裏付けるのが、「総債務残高対GDP比」というデータ。国の収入と借金を比較した数字で、ざっくりいえばこの数値が大きい国ほど借金額がヤバいとわかるんです。実際、この数字が、先ほど紹介したキプロスは102％で、これは収入よりも借金が2％多い状態。他にもアルゼンチンは147％、レバノンは152％になったタイミングで預金封鎖が実施されています。

コヤッキー　102％でも預金封鎖が起こりうるんですね。ちなみに借金大国と呼ばれる日本のGDP比は、いったいどのくらいになんですか？

とーや　2022年の時点で260％で、世界ワースト2位です。3位スーダンの186％と大きく差をつけています。ちなみに1位はレバノンで283％。

コヤッキー　不名誉なことで世界トップクラスなんですね。たしかにこう

新1万円札を1枚手に入れるのに旧1万円札が10枚必要に

©Midjourney2023

画像生成AIでつくった「借金大国の日本」
2023年6月末時点での日本の国債と借入金、政府短期証券を合計したいわゆる「国の借金」は、過去最大を更新し1276兆3155億円。単純計算すると、国民1人につき約1025万円の借金を抱えていることになる

してみると、日本でもうすぐ預金封鎖が始まるというのも、あり得ない話ではないのかもしれません。

とーや　そして３つ目の目的は、インフレの抑制です。インフレとは、簡単にいうと物価が上がってお金の価値が下がる現象ですが、

2024年に発行される渋沢栄一の新1万円札

渋沢栄一は1963年発行の1000円札に載る最終候補に挙がっていたものの、「髭のある伊藤博文の肖像画のほうが偽造防止になる」という観点から見送られた

これが新札の発行に深く関わっているとされてるんです。実際、過去に日本で行われた預金封鎖は、新札の発行と同時に旧札を使えなくさせるだけでなく、その時の通貨単位を変更することでインフレを抑制させました。

コヤッキー　どういう理屈ですか？

とーや　たとえば、新1万円札を1枚手に入れるのに、旧1万円札が10枚必要になると、強制的に国民の資産を10分の1にできますよね。こうした仕組みで半ば強制的に資産を減らし国民の購買意欲を減らせば、インフレを抑えられるわけです。

　で、ここまで出てきた「国民の財産の把握」「国の借金」「インフレ」……。これらのキーワードをここまで聞いて何かピンときませんか？

コヤッキー　いや、まさに今の日本だなと思うんですが……。

とーや　そう。実はこの3つの条件すべて、日本の現状に見事に当てはまるんです。周知のとおり日本は今も借金が多く、さらに物価が高いインフレも起きています。そして２０２４年は、新札が発行されますよね。

コヤッキー　タイミングがばっちりすぎますよ。

とーや　ちなみに、新1万円札に印刷される渋沢栄一氏ですが、実は１９４６年の預金封鎖が行われた当時、国の債務や通貨、金融に関与する大蔵省の大臣は、渋沢栄一の孫・渋沢敬三だったんです。

コヤッキー　何か裏で意図があると考えちゃいますね。

新1万円札に描かれる渋沢栄一の思想

とーや　さらにこの説を裏付けるヒントをもう一つ。実は日本は、約80年周期ごとに大きな社会の変化が訪れているんです。

　まず着目したいのは、１７８９年に起きた寛政の改革。これは江戸時代中期において賄賂の横行で政治が腐っていたのを問題視して、「年貢を減らせ！」と民衆が立ち上がった改革でした。

　その78年後の１８６７年には、大政奉還という当時、絶大な政治権力を持っていた将軍が政治の権限を天皇に返し、約２６０年続いた徳川幕府の歴史に幕を下ろしました。

　さらに79年後の１９４６年には、先ほど紹介した戦後の預金封鎖。そしてその78年後の少し未来である２０２４年に新札が発行される……。

コヤッキー　本当に預金封鎖が起きたら、たしかに教科書に載るレベルの大きな転換期になりますもんね。

とーや　そう。そして新1万円札に描かれる渋沢栄一は強い信念というか思想を持っていた人で、その思想が日本に社会変化を起こす

画像生成AIに「新世界秩序に向けて『日本を一度リセットする』という日本政府からのメッセージ」と打ち込んだだけでできた画像

新紙幣発行を正式発表した2019年当時の首相は安倍晋三。AIは「日本のリセット＝新紙幣の発行」と予測したのかもしれない

鍵となっているのかもしれません。渋沢栄一は日本で初めて「銀行」を設立したうえ、現在も続く「みずほ銀行」や「いすゞ自動車」の育ての親でもあります。

で、彼の生き方の根幹には、「金儲けするのはいいが、そこで得た利益は社会に還元し、富というものは日本国民全員で共有すべきだ」という思想があり、実際に彼が運営していた現在の「東京都健康長寿医療センター」で得た利益は、養育院を通して孤児や体の弱い人、いわゆる社会的弱者と呼ばれる国民を救うために使われていたそうです。

とーや　いい人ですね。

コヤッキー　渋沢は、お金に執着すると江戸時代のような身分制度ができ上がってしまうので、それを防ぎたかったといわれています。つまり、渋沢栄一の思想というのは「平等で公平な社会主義」に近かったといえるでしょう。

とーや　素晴らしい……。

コヤッキー　では、現在の日本はどうでしょうか？　残念ながら、渋沢の思想に反して「個人で好きなだけ稼ぐ、貧富の差が激しい資本主義」と言える状況だと思います。だからこそ、今、渋沢栄一の紙幣をつくることで、現在の資本主義をぶっ壊し、新たな世界をつくるのが2024年の預金封鎖の真の目的なのかもしれません。

コヤッキー　新たな世界、つまり新世界秩序

預金封鎖は「日本を一度リセットする」という日本政府からのメッセージ

に向けて「日本を一度リセットする」という趣旨の、日本政府からのメッセージなのかもしれないですね。

イルミナティカードの予言

とーや　さらに驚くことに、都市伝説界隈では誰もが知るところの秘密結社・イルミナティが関与し、これまでも世界で起こる重大な事件を予言してきたとされるイルミナティカードに、「Bank Merger」という一枚があります。

コヤッキー　「Bank Merger」？　小さい魚が大きな魚に連鎖的に食べられていますね。

Bank Merger

Place an Action token on any one *Bank* group, or on two or more *Bank* groups whose current Power adds up to 5 or less. This card may not benefit a group that already has any tokens, or a group which is suffering from any effect that prevents it from getting Action tokens.

This card may be played at any time. It requires an action from your Illuminati.

Requires Illuminati Action

「円の消滅」を予言しているとされるイルミナティカード「Bank Merger」

魚体にユーロ、ドル、ポンド、円の単位が描かれた魚が順に食べられており、一説には通貨のヒエラルキーを表すとされる

とーや　小魚から順番にユーロ（セントとする説もある）、ドル、ポンド、円が謎の赤い巨大魚に食われかけてる様子です。ただこのカード、明らかにおかしい点があるんです。実は、このイルミナティカードがつくられた１９８２年当時は、まだ、「ユーロ」という通貨はなかったんですよ。

コヤッキー　たしかに、ユーロがつくられたのは１９９９年ですよね。

とーや　要は、およそ17年前からユーロができると予言されていたわけです。まぁ、イルミナティなら知っていてもおかしくなさそうですが。

コヤッキー　そうなると、小魚から順番に食べられていくというのは……？

とーや　一説には、まずはユーロ通貨がなくなり、その後はドル、ポンド、円の順に他の通貨も消滅していき、最後には新世界統一通貨がこの世にあふれることを示唆しているのではないか、とされているんです。

コヤッキー　そんな壮大な未来が今後あり得るんですかね。

とーや　イギリスがEUに所属していた時代にユーロを使っていなかったうえ、２０２０年にEUから離脱したのも、イギリスにはフリーメイソンが多く、このカードが指し示す未来もわかっていたからと捉えることもできるでしょう。そしてなんといっても気になるのは、

カードのなかのいちばん大きな魚の目です。

コヤッキー　……三角形のなかに瞳が！

とーや　そう！　イルミナティのシンボルと同じなんです。となると、世界中の通貨を飲み込む巨大魚の正体はイルミナティであり、2024年に起こると懸念されている預金封鎖もその計画の一部なのかもしれません。

コヤッキー　イルミナティカードの予言は都市伝説界隈ではかなり当たるといわれてますし、2024年に貯金がなくなるというのも「あり得る話」に思えてきました。

とーや　そうなんです。だから個人的には、みなさんにも今のうちにどんどん散財するのがお勧めかなと。そしてあわよくば僕の口座に……。

コヤッキー　だからといってとーやさんレベルまで預金残高を減らすのは考えものですが、散財をするかしないかは、みなさんのご判断にお任せしたいと思います。

預金封鎖はイルミナティの「新世界統一通貨」発行への計画

©Midjourney2023

画像生成AIでつくった「世界中の通貨を飲み込む巨大魚の正体はイルミナティ」

「Bank Merger」ですべての通貨を飲み込んだ巨大魚は、イルミナティの象徴として世界の通貨を支配しているかのようだ

都市伝説・考察系YouTuber 世界ミステリーchが「大予言」

AIなどの科学技術の進歩で「世界の謎」や「歴史の真実」が明らかになる時代に

有名「都市伝説」の内容と〝異なる事実〟が技術の進歩によって解明される可能性も

画像生成AIでつくった「ペストマスクの世界ミステリーch」

アメリカの先史時代の見方が一変

世界には人々の好奇心を煽る都市伝説が無数に存在しています。ただ、そうした説のなかには根拠が明瞭でないために真偽が疑われるものも多く、だからこそ多くの人が「ああでもない、こうでもない」と話を膨らませていく側面もあるでしょう。

しかし、最近の科学技術の進歩は目覚ましく、世間で広まっていた説と事実が異なっていたと明らかになるケースも出てきました。今回はそんな事例を2つご紹介したいと思います。

1つめは「人類のアメリカ大陸への到達」についてです。これまでも諸説あったこのテーマですが、定説では人類が北アメリカ大陸の内陸部に到達したのは1万4000年以上前とされてきました。というのも、現在のカナダとアメリカ北部にまたがる2つの巨大な氷床の間には、氷のない回廊が出現した時期があるとわかっており、その最後の氷河期の終わりに氷が融解したことでこの回廊ができ、人類はアラスカから北アメリカの中心部へと移動したと考えられていたのです。しかし、最新の研究により、さらに昔に人類が北アメリカ大陸に存在した痕跡が出てきました。

きっかけは2021年9月、ニューメキシコ州で発見された人の足跡の化石が調査され、足跡の年代が約2万1000年前、つまり最終氷河期の最盛期とする論文が発表されました。この足跡は現在のホワイトサンズ（ニューメキシコ州）の近くにある、古代の湖の周辺を通りかかった人々が残したものとされています。

この発見により、アメリカ大陸における人類の歴史が7000年以上さかのぼり、アメリカの先史時代の見方が一変しました。もし最終氷河期最盛期にアメリカに人がいたなら、彼らはほとんど氷に妨げられることなく移動

2万年以上前の「人の足跡の化石」

ニューメキシコ州ホワイトサンズで見つかった足跡は、扁平気味の足を持つ若者のものと見られる

最新の科学調査で7000年さかのぼった アメリカ大陸における人類の歴史

世界ミステリーch

「物事を多角的に捉えて気づきのヒントになる動画」をコンセプトに、世界の歴史を中心とした神話、伝説、宗教にまつわる動画を展開。ペストマスクをモチーフにした怪しげな仮面とハットがトレードマーク。専用アプリ「世界ミステリーch:ANNEX」でも動画を配信中。登録者数30.5万人(2023年11月現在)。

画像生成AIでつくった「科学技術の進歩で『世界の謎』が明らかになる時代」

AIシステムを使って古代ギリシャの未確認の碑文を特定した事例も。科学技術の進歩は着実に世界の謎を紐解いている

放射性炭素年代測定を行う「加速器質量分析装置」

短時間かつ高精度で微小試料から極微量元素を測定できる加速器質量分析装置。重要な測定ツールになっている

することができたか、あるいは人類はさらに早い時期にアメリカに到着していた可能性もあります。

この説を立証するのに一役買ったのは、な

火山噴火で黒焦げになったパピルスの巻物をAIが解読

んと花粉でした。実は、化石化した花粉は、科学的にはとても有用なツールになります。2021年の研究では、ホワイトサンズの足跡のあった周辺の堆積層から見つかった水草の種子の調査が実施されました。

この時、行われたのは有機物の年代を測定する放射性炭素年代測定。同位体と呼ばれる特定の炭素（炭素14）が、過去5万年以内に死んだ生物の中でどのように放射性崩壊を起こすかという分析の仕方です。

ただ、研究者のなかには2021年の研究で得られた放射性炭素年代が、硬水の影響を受けているために信憑性がないと語る一派もいました。水には炭酸塩が含まれており、当然、なかには炭素が含まれます。硬水は一定期間大気から隔離された地下水なので、その中の炭素14の一部は、すでに放射性崩壊を起こしている可能性が高いとみなしていたわけです。

ここで花粉の調査が行われたのですが、花粉は非常に小さく、通常直径0・005ミリメートル程度。そのため、年代測定のために十分な炭素を得るには、7万個以上の花粉が必要でした。

そこで使われたのが、フローサイトメトリーという技術。一般的には個々の人間の細胞を数えたりサンプリングしたりするために使用されています。

これを放射性炭素年代測定のために、花粉の化石を数えて分離させ、結果、今回調査対象となった地域には古い水の影響はないことが明らかになりました。

さらにもうひとつの検証として、石英（造岩鉱物の一種）の中に蓄積されるエネルギーを利用した時間の経過を測定する、ルミネッセンス年代測定も行われています。この調査は石英の粒子に蓄積されるエネルギーが多ければ多いほど、その粒はより古いと推定されるもの。このエネルギーは、石英が光にさらされた時に放出光が測定され、その石英の年代を特定することもできます。

こうして解析が進んだホワイトサンズの足跡は、10代の若者や子供のものとされています。彼らは数人のグループで過ごしていたようで、比較的リラックスできる環境だったといえそうです。子供や青少年は大人よりも元気で遊び好きのため、より多くの痕跡を残す。しかし、大人はより効率的に移動する傾向があり、足跡は少なくなるのです。

別の解釈だと、これらの新しい足跡の証拠は、10代の若者たちが初期の狩猟採集集団の一部として働いていた可能性も考えられています。

石に刻まれた彼らの足跡は、先祖たちが何千年も前に長い陸橋を渡ってアメリカ大陸に到達したことを示しているという、なんともロマンのある結果がわかりました。

AI技術を駆使した古代文字の解析

もうひとつ、最新技術からわかってきた事実をご紹介します。チャットGPTや画像作成AIをはじめ、現在は様々なAIサービス

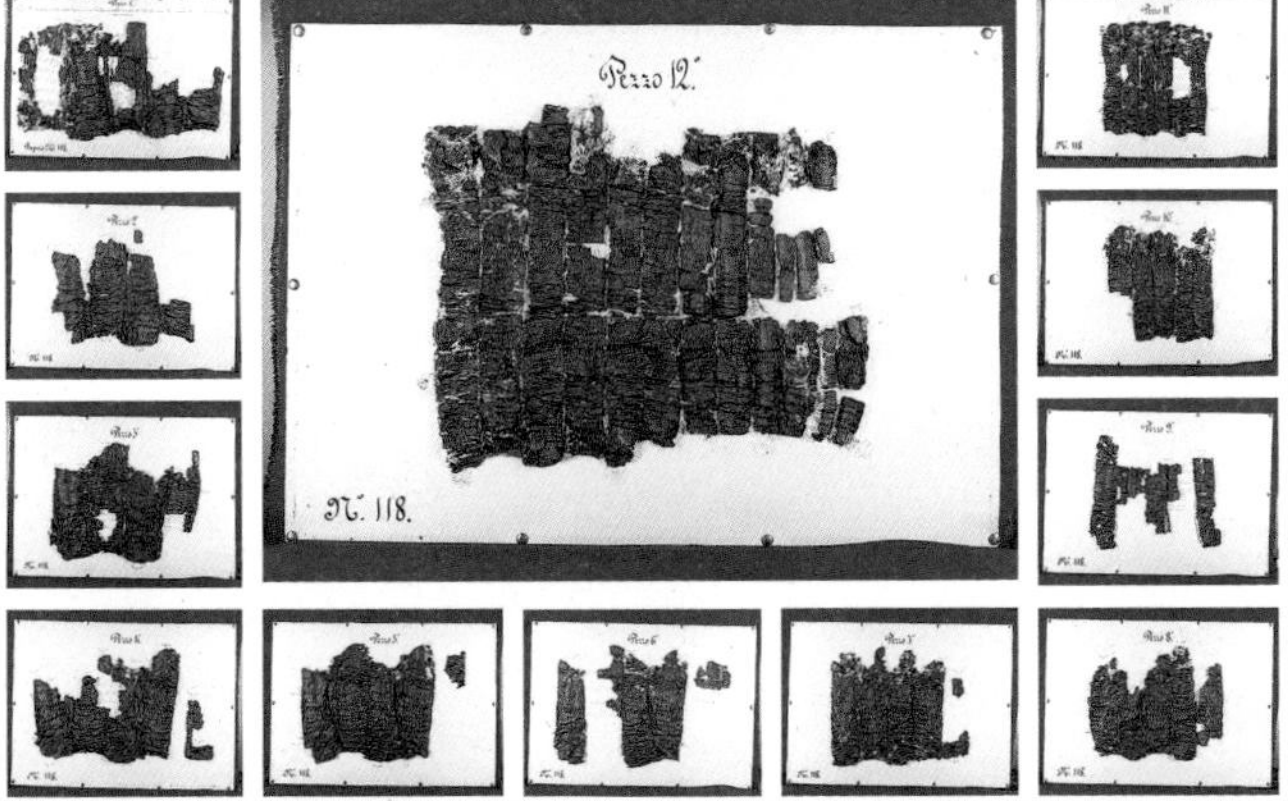

ポンペイ遺跡で発掘された「ヘルクラネウム・パピルス」

1800枚を超えるパピルス巻物のコレクション。1752年にブルボン王家の労働者が、パピリスの別荘として知られる場所から偶然発見した

AIがバーチャルの世界で史跡をリアルに視覚化することも可能に

が登場していますが、そのAIの発達が真相解明に一役買った事例です。

2023年10月のニュースで、21歳のコンピューター科学の天才がAIを駆使し、これまで多くの人が不可能だとしてきた、古代文字が書かれた巻物の解析をしたといいます。

解読されたのは18世紀に発見されて以来、学者たちにとっては謎のままとなっていた、パピルスの巻物「ヘルクラネウム・パピルス」。西暦79年の火山噴火で埋もれたイタリア南部のポンペイ近郊の邸宅で発掘されたものでした。

当時、噴火によってポンペイ一帯は約20～25メートルの火山灰で覆われてしまい、激しい熱によって巻物は黒焦げになってしまいました。しかし、通常パピルスは湿気に弱いのですが、逆に焦げ状態だったことで損傷や劣化なく今日まで保存されることとなり、稀少な古代の図書の一部として残っているわけです。

巻物が見つかったのは、ユリウス・カエサルの義父であるルキウス・カルプルニウス・ピソ・カエソニヌスが所有していたとされる別荘の図書館で、現在は都市遺跡ヘルクラネウムのパピルス荘として知られています。

1970年から発掘が行われ、約1800巻の古代パピルスであるヘルクラネウム・パピルスが発見されました。そのうち、約340冊以上の巻物がほぼ完全な状態で残っており、約970冊が部分的に朽ちているものの、一部は解読可能な状態で、500冊ほどは完全に黒焦げになっていたそうです。

もちろん、これまで多くの解析が進められていたものの、そもそも炭化した巻物を開くこと自体が難しかったり、印字には木炭と水の混合物である炭素ベースのインクが使用されていたため、スキャンしてもパピルスにインクが溶け込んでしまい見えなくなってしまったりと、難航を余儀なくされていました。

2019年からはアメリカのケンタッキー大学のブレント・シールズ博士が解読に着手。まず、粒子加速器で炭化した巻物を3DCTスキャンし、並行して崩れてしまった巻物の断片をスキャンして、データセットを構築。チームはこのデータセットでトレーニングしたAIモデルを使って文字の断片を検出し、解読を加速するため、研究で構築した機械学習モデルと画像をオープンソース化したので

パピルスの巻物が発見された都市遺跡ヘルクラネウムのパピルス荘

イタリアにある古代ローマの都市遺跡ヘルクラネウムを構成する建物。パピルスの大半は3・2メートル四方の小部屋で見つかり、小部屋の中央にあった彫刻が施された両面の戸棚に収納されていた

す。

この動きに注目した投資家の支援により、２０２３年から「ヴェスヴィオ・チャレンジ」という競技として、世界中の研究者に謎解きを呼びかけたのが今回の大発見の始まりです。

その結果、ネブラスカ大学リンカーン校の学生、ルーク・ファリターがＡＩ技術を駆使し、「πορφυρας（ポルフィラス）」というパピルス上のギリシャ文字は「紫」を意味すると特定しました。

「たった1単語だけの解読でもそんなにすごいの？」と思うかもしれませんが、紫は海のカタツムリ「海貝」から抽出される希少で高価な染料として知られており、豪華さと威信の象徴とされています。そのため、この文字を手がかりに、古代ローマの社会経済の複雑さや、貿易、ファッション、エリート階層のライフスタイルに関する情報が紐解かれる可能性が大となりました。非常に興味深い発見と言えるわけです。

古代ギリシャの碑文の起源等を解き明かすAIツール「イサカ」

AIツール「イサカ」は古代ギリシャの膨大なテキストで学習訓練され、不足している単語やフレーズの推定ができるように

画像生成AIでつくった「科学技術の進歩で解明される有名都市伝説」

「宇宙人の存在」などの都市伝説の真実が明確になる可能性も

未確認の碑文の年代と起源を特定

今回の解読に至ったＡＩの進歩は着目すべきものですが、これはヘルクラネウム・パピルスだけに当てはまるものではありません。

例えば２０２２年には、Ithaca（イサカ）というＡＩツールが古代ギリシャの未確認の碑文の年代と起源を特定するのに役立ったとされています。また、遺跡の保護のために、ＡＩが景観の変化を監視し、侵食や気候変動、違法発掘といった潜在的な脅威を予測したり、ＡＩがバーチャルの世界で史跡をリアルに視覚化する動きも出てきており、今後ますます謎めいていた歴史が詳かになっていきそうです。

ちなみに、先に述べた「ヴェスヴィオ・チャレンジ」は２０２３年も開催中で、初めて解読に成功したルーク・ファリターには4万ドルの賞金が与えられたそうです。お金目当てで素人が手を出すのは難しそうですが、こうした動きがもっと増えていくかもしれません。

そして、これからは技術の進歩によって解明された事実が、長年噂されていた都市伝説的解釈と異なることも増えていくと思います。ただそれもまた、一つのロマンとして楽しんでいけたらうれしいですね。

第一章

世界を激震させる「闇の支配者」の陰謀

アメリカの"中東支配"を終わらせるために イスラエル・ハマス戦争は「中東戦争」に拡大

アメリカ＝ディープ・ステート陣営のネタニヤフ政権打倒を目指す拡大戦争

「第5次中東戦争」が50年ぶりに勃発か

イスラエル・ハマス戦争で続くガザ地区への容赦ない爆撃

ガザ地区では、仕事がなく公教育も受けていない若者世代が、イスラエルからの補助金を目当てに結婚と出産を繰り返すという。そのため人口は爆発し、貧困は加速。不満のはけ口としてハマスを熱烈に支持する。現状、根本的な解決方法がない状況だ

取材・文●西本頑司

アメリカが容認し続けるイスラエルの「核保有」

2023年10月7日、パレスチナのガザ地区を実効支配する武装勢力ハマスによる大量のロケット弾を使った大規模テロが発生し、イスラエルとハマスは「戦争」へと突入した（イスラエル・ハマス戦争）。

ハマスのテロで1400人以上の死傷者を出したイスラエルは、中東随一の軍事力をもってガザ地区に容赦ない攻撃を続ける。しかし、「この戦争は、短期間で終結する」と報じるメディアや有識者は少なくない。果たしてそうなのか。実は50年ぶり5度目の中東戦争へと拡大する可能性は決して低くはないという見方も強いのだ。

1947年、欧米主導による強引なイスラエル建国から30年間で、実に4度の中東戦争が勃発した（1948年・1956年・1967年・1973年）。いずれもイスラエルが圧勝し、パレスチナにおける支配領域を拡大させてきた。この50年間、中東戦争は起きていないが、その理由は、イスラエル軍の強さに対して、中東諸国が戦争を避けてきたのではない。

イスラエルの「核保有」が最大な理由なのだ。

アメリカやヨーロッパ先進国の大学で研究するユダヤ人学者たちの協力を得てイスラエルは、1960年代から極秘に核開発を行い、第4次中東戦争直後、事実上の「核保有国」となった。アメリカがイスラエルの核保有を実質的に容認したからである。

その証拠に1982年、イスラエルが一方的にレバノンへ軍事侵攻し、パレスチナ難民を大量虐殺した際、ここで第5次中東戦争とならなかったのは「核」があったためだ。イスラエルを本気で滅亡させようとすれば、

間違いなくイスラエルは核を使用する。そのおそれがあったから中東諸国は戦争へ踏み切れなくなったのだ。

このイスラエルの核に対抗しようと、「イスラエルを地図から消し去る」とする反イスラエルの急先鋒イランは、１９８０年以降、堂々と核開発を宣言。これに反米国家のリビアのカダフィ大佐（当時の独裁権力者）も同調。アラブの盟主サウジアラビアも核開発に強い関心を示した。こうした中東諸国の核開発への動きにアメリカは強く反発。圧倒的な軍事力を背景に中東諸国の核開発を絶対に許さなかった。結果的にいえば、この「核抑止」で中東諸国は対イスラエル戦争という手段を封じられてしまったのだ。

アラブ諸国のBRICS加盟で消滅したイスラエルの「核抑止」

2023年8月のBRICS首脳会議に参加したイランのエブラヒム・ライシ大統領（前列左から2人目）
イランはBRICS加盟後、中国からの協力を得て核開発が急ピッチに進むと予想される。早ければ2025年には核実験までこぎつける可能性は高い。実戦配備は、その数年後とされる

敵対ではなく“共存”を目指す「イスラエルの中東諸国化」

中東諸国が手に入れたＢＲＩＣＳによる「核の傘」

だが、この前提が崩れた可能性が高くなった。それが２０２３年８月の中東諸国のＢＲＩＣＳ加盟である。サウジアラビアを筆頭にイラン、エジプト、ＵＡＥが加盟したのだ。反米のイランを除いた３カ国は親米政権と目されていただけにアメリカとイスラエルの受けた衝撃は大きかった。ＢＲＩＣＳ内の貿易は加盟国の通貨で取引できる。ドルの国際決済通貨として絶対的価値は、石油の購入は「ドルで決済するルール」があったことにある。つまり、このルールから中東の産油国が離脱したのだ。

そのため、この３カ国がアメリカを怒らせてでもＢＲＩＣＳ入りした背景として囁かれているのが「核密約」とされる。「ＢＲＩＣＳ加盟国が核攻撃を受けた場合、加盟国内の核保有国（ロシア・中国・インド）が報復用核弾頭を供与する」というＢＲＩＣＳによる「核の傘」である。

実際、ＢＲＩＣＳ入り前の２０２３年３月、サウジとイランは中国の仲介で歴史的な和解をするが、中国は和解の条件として両国へ「原子力技術の供与」を提案している。その裏ではＢＲＩＣＳ入りと核の傘の提供の密約もあったと疑われている。

この「核密約」が事実かどうかは大きな問題ではなく、核報復の可能性の〝疑い〟があるだけで、イスラエルの核使用は封じられてしまう。これにより、第５次中東戦争の条件は整ったことが理解できるだろう。

「中東国家」となりつつある現在のイスラエル

ここで重要なのは、50年ぶり5度目の中東戦争は、過去４度の戦争とは違う目的の戦争になる可能性が高い点なのだ。

過去４度の戦争は「イスラエル国家の滅亡」が目的となっていた。それゆえにイスラエルへ移民したユダヤ人のみならず、欧米諸国に在住する１０００万人以上（当時）のユダヤ人たちもまた、強い使命感と命を賭けて〝祖国防衛〟のために奔走した。イスラエル勝利の背景には世界最強のユダヤロビーの力が大きかったのだ。

一方、中東諸国にとっては、イスラエル（パレスチナ）に入植してきたユダヤ人は、生まれも育ちも欧米諸国の〝出身者〟でしかなかった。それが「パレスチナ（カナンの地）

中東の石油利権を独占してきた「アメリカ＝ディープ・ステート」

米大統領時代のトランプ最大の成果「アブラハム合意」
アフガン全面撤退を決断し、戦争をしなかった米大統領としてトランプは意外にも中東諸国からの評価が高い。イスラエルとUAEなど一部のアラブ諸国との国交正常化という歴史的なアブラハム合意は、トランプが仲介したことで成立した

は我が祖国」と我が物顔で乗り込み、本来の住人であった同じイスラム教徒の同胞であるパレスチナ人を迫害し攻撃した。これに中東諸国は猛烈に反発し、過去4度の戦争が起こった。

しかし、現在のイスラエルは「戦争を知らない世代」が大半となった。生まれも育ちも中東（イスラエル）だ。しかもイスラエル国籍を持つアラブ人も人口の2割を越えている。中東諸国から見て現在のイスラエルは「中東国家」となりつつあるのだ。

2020年8月、ドナルド・トランプの最後の仕事となった「アブラハム合意」でUAEとバーレーンは、イスラエルとの国交を結ぶという歴史的な和解をした。アブラハム合意以降、両国を経由して中東諸国の多くがイスラエルとの貿易を拡大させてきた。実は、今回の「ハマスのテロ」は、サウジのムハンマド皇太子が、アブラハム合意に参加する動きを強めたことへの反発だったとされる。

アブラハム合意以降、中東諸国はイスラエルの持つ高い兵器開発能力とITやAIといった先端技術に触れ、敵対より共存を模索し、「イスラエルの中東諸国化」を真剣に考えるようになったという。欧米先進国にも引けを取らない科学技術と軍事力を持つイスラエルが〝仲間〟になれば、中東諸国・イスラム圏の悲願といっていいアメリカ支配＝ディープ・ステートからの脱却ができるからである。

そのため第5次中東戦争では、イスラエル国家の滅亡ではなく、「イスラエルをアメリカから切り離す」ための戦いになると予想されているのだ。

そのためには、ディープ・ステートの中核メンバーでパレスチナ弾圧の「強硬派」とされるイスラエルのベンヤミン・ネタニヤフ政権の打倒、そしてネタニヤフ派の軍関係者の排除が必要になる。

中東諸国にとって最も憎む相手は、もはやイスラエルではなく、ネタニヤフ政権を通じてイスラエルを動かし、中東の石油利権を支配してきたアメリカ＝ディープ・ステートとなっているのだ。

これを排除するには、まずは周辺国家でイスラエル包囲網を築いて軍事圧力をかける。そうして、イスラエル国内でのパレスチナとイスラム諸国との融和の決起を促す。現在のイスラエル軍の高官はネタニヤフの「私兵」が少なくない。これらネタニヤフ派を軍から強制排除するためには犠牲を覚悟して、第5次中東戦争を行うしかないわけだ。

イスラエルの消滅を目的にしなければ、欧米社会で影響力を持つユダヤ人やユダヤロビーが動くことはない。

第5次中東戦争では、ネタニヤフ＝強硬派の部隊と中東連合軍が激しい消耗戦と犠牲の果てに、イスラエルの融和派が決起。中東連合国と電

「第5次中東戦争」の目的は中東のアメリカ支配からの脱却

独裁化を進めるネタニヤフ首相に対し、国内で大規模デモが頻発

2009年から2021年まで独裁政権を築いたベンヤミン・ネタニヤフ。2021年5月、野党連合によって政権の座を追われるが、同年12月には復活。パレスチナゲリラのテロ問題を理由に、第一次政権時よりさらに強い独裁権力を得ようし、イスラエル国内の融和派から猛烈な反発を受けている

中東でのディープ・ステートの陰謀に深く加担してきたネタニヤフ

撃的に和解して終戦を迎えると予想できるのだ。その後、中東連合軍は融和派イスラエル軍を加えて、アメリカ＝ディープ・ステートの傀儡国家イラクの〝解放〟へと向かうとされる。

中東でやりたい放題だった アメリカ＝ディープ・ステート

考えてみれば、戦後から現在に至るまで、アメリカ＝ディープ・ステートは中東で本当にやりたい放題をしてきた。

石油利権を押さえるために平然と傀儡政権をつくっては壊してきた。イランの傀儡政権（パフラヴィー朝）がイラン革命（１９７９年）で打倒されるや、サダム・フセインをけしかけイラン・イラク戦争（１９８０〜８８年）を起こさせる。アメリカとのクウェート割譲の密約を信じたフセインがクウェート侵攻（１９９０年）を行うや、翌年の湾岸戦争でフセイン政権を叩き潰した。

９・１１（２００１年）を起こしたアフガニスタンのタリバン政権も、もとはアフガンに侵攻してきたソ連軍を潰すためにアメリカが支援したイスラムゲリラが母体。武器弾薬の供与と引き替えにヘロインやアヘンをソ連軍にばら撒かせ、ソ連崩壊に利用した。イラク戦争（２００３年）でサダム・フセインを殺害し、ついでにアメリカの傀儡国家にしてイラクの石油利権をすべて奪い取った。２００３年にはリビアのカダフィ大佐を騙し、核放棄をさせたあと、２０１１年にＣＩＡを使って暗殺。リビアはひどい内戦状態に陥ったままとなっている。

２０１０年からは「アラブの春」と呼ばれる民主化運動が勃発。チュニジアからエジプトへ飛び火し、さらにＮＡＴＯ軍によるリビア攻撃を経て、２０１１年１月以降、シリア争乱へと繋がっていく。これらすべてが、アメリカ＝ディープ・ステートの陰謀とされ、この陰謀にネタニヤフ自身、深く関与してきたという。

アメリカとディープ・ステートの排除のためには「イスラエルの中東諸国化」が不可欠だ。それこそ戦争をしてでも「ユダヤ人」を仲間に引き入れようとしているのだ。サウジとイランの歴史的な和解の背景には、この「イスラエルの中東諸国化」の合意もあると考えられている。

第５次中東戦争で中東諸国は、イスラエルを手に入れることはできるのだろうか。

世界「大予言」陰謀ランキング ②

1400万人のユダヤ人で構成される「ユダヤネットワーク」が世界のシン・支配者に

〝見えない超大国〟として世界の中枢を担う優秀な人材を輩出するユダヤ民族

疑似国家「ユダヤネットワーク」はすこぶる優秀な〝民族集団〟

世界的に有名経営者であり、ユダヤ閥出身のビル・ゲイツとマーク・ザッカーバーグ

弱小ベンチャーのマイクロソフトが、先行していたスティーブ・ジョブスのアップルを抜いて世界一の「PCメーカー」になったのはユダヤ閥の支援があったからとされる。ユダヤ金融資本の協力を得ていたザッカーバーグも資金調達能力は抜群だった

アメリカの経済を支えるエリートがユダヤ人

なぜ「イスラエル人」ではなく「ユダヤ人」と呼ぶのか――。

2023年10月以降、連日のようにイスラエル・ハマス戦争が報じられるなか、そんな疑問を持った人もいるだろう。

あえてイスラエル人と呼ぶ場合は、イスラエル国籍を持つ「アラブ人」（全体の2割・イスラム教徒）のことであり、国外にいるユダヤ教徒も含めた民族としての「ユダヤ人」とは区別しているのだ。

日本人がアメリカ国籍を取得すれば「アメリカ人」となるが、ユダヤ教に改宗すれば「ユダヤ人」となる。ユダヤ教は「国境なき国家」として成り立っていることがわかる。つまりユダヤ人国家とは、イスラエルを含めて全世界に住まう約1400万人の「ユダヤネットワーク」を意味しているのだ。

そして、この疑似国家「ユダヤネットワーク」は、すこぶる優秀な〝民族集団〟といっていい。

現在のアメリカの経済を支えているGAFAMを筆頭に、米系ITテックはユダヤ閥によって創業されている。マイクロソフト創業者のビル・ゲイツ、オラクル創業者のラリー・エリソン、グーグル創業者のセルゲイ・ブリンとラリー・ペイジ、「ペイパルマフィア」の異名を持つピーター・ティール、フェイスブック（現メタ）を立ち上げたマーク・ザッカーバーグ、チャットGPTを世に出したオープンAI創業者のサム・アルトマン。驚くことにすべて、ユダヤ人なのである。

また、「ユダヤ金融資本」という言葉が示すように、現財務長官のジェネット・イエレンを筆頭にウォール街の重要ポストにも山ほどユダヤ人が存在する。ノーベル賞最多受賞

取材・文●西本頑司

の民族もユダヤ人だ。政治家では、ウクライナ大統領のウォロディミル・ゼレンスキーがユダヤ人として知られている。なぜ、これほどの人材が輩出されるのか。

　実はユダヤ人が優秀なのではない。欧米諸国では、中世から現在に至るまで「優秀な人材がユダヤ人になっている」からなのだ。

オープンAI共同創業者のサム・アルトマンもユダヤ人
ユダヤ人家系に生まれ、名門スタンフォード大学入学以降、ユダヤネットワークの支援を受けている。19歳で初めて起業し、ITエリートの人生を歩む

政治家ではウクライナのゼレンスキー大統領がユダヤ人
大統領に就任するまでウクライナ語を話せず、ロシア語を使っていた。コメディアンとしてロシアへの進出を目指していたように、もともとは親ロシア派のユダヤ人だった

「ユダヤ人」になることで得られるユダヤネットワークの強力な支援

生きていくために「教育」を最優先

　歴史的に、欧米社会では階層が固定化されてきた。貧困層出身者は学びの機会を与えられず、貧しい生活を余儀なくされやすい。そんななか、唯一といっていい脱出方法が「ユダヤ教への改宗」だった。キリスト教社会では異教徒として迫害や差別の対象となってきたユダヤ人たちは、生きていくために「教育」を最優先してきた。紀元前の時代から無償の学校を設立していたほどで、第二次世界大戦期まであったユダヤ人を隔離する「ゲットー」では、優秀なユダヤ人教師たちが子供たちに文字の読み書きや計算から、鍛冶や大工仕事といった専門技術まで徒弟制度に関係なく教えていたという。識字率の低かった時代、キリスト教社会のなかでは、少数派で異教徒のユダヤ人たちが、社会基盤の中枢で活躍していたのはそのためなのだ。

　キリスト教社会の底辺にいる才能と野心を持った人は、自らの出世のために、ユダヤ教に改宗する傾向があった。ユダヤ人になれば、社会の中枢で活躍しているユダヤネットワークが後ろ盾となり、教育に対する経済的支援や職の斡旋を受けられるからである。

　現在の欧米社会でも、貧困層に生まれた有能な少年少女たちは、ユダヤネットワークを通じてスカウトされているという。親族内にユダヤ系家庭があれば養子に送り込み、あるいはユダヤ人との結婚、ユダヤ教への改宗を条件に、大学などのスカラシップ（奨学金）を与える。それだけでなく、ユダヤネットワークを通じて大学での研究費、大企業への就職、さらには起業するための資金援助も行う。

　金融の世界はとくに顕著で、欧米出身者たちがこぞってユダヤ人になり、「世界を支配するユダヤ金融資本」を支える人材となっている。ノーベル賞を受賞した学者が多いのも同様の理由だ。先に紹介した世界的な起業家たちがユダヤ人なのは、そんなカラクリがあるからなのだ。

　さらに、ユダヤ人となって成功者になれば、今度はユダヤ系財団に多額の寄付をし、人材の支援に回る。このように、優秀な人材を輩出し続けるシステムが見事にでき上がっているのだ。

国家への帰属意識を持たないユダヤ人

　ユダヤ教は優秀な人材を集めることで生き残り、社会的な影響力を獲得してきた。きわめて有益な「互助会」として機能する以上、改宗は容易ではない。現在でもユダヤ教への改宗には440時間の信者教育が必須となっている。〝「最後の審判」で救済されるのは神と契約したユダヤ

第二次世界大戦下のウクライナで起きたユダヤ人迫害事件「リヴィウポグロム」
ナチス占領後は地元住民が率先してユダヤ人を強制収容所に送った。ウクライナでは実に140万人以上のユダヤ人が犠牲になったとされる

ディープ・ステートの収奪に利用され続けたユダヤ人

人〟という選民的な教義から、単なる信者ではなく「完全なユダヤ人化」が改宗には求められる。

ここで重要なのは、いったんユダヤ人となれば故郷や国籍を実質的に「捨てる」ことになる点だろう。ユダヤ人にとっての故郷は、生まれ育った場所ではなく「カナンの地（パレスチナ）」であり、それまで所属していた民族や国籍、共同体からも実質的な離脱が求められる。彼らにとって同胞とは、同じ国籍ではなく、世界中に散らばっているユダヤ人となる。当然、国家への帰属意識も薄らぐ。

社会の基盤で活躍する有能な人材が、国家への帰属意識を持っていないのだ。その国の為政者や権力者にすれば、ユダヤ人は〝やっかいな存在〟となる。そこで為政者たちは、同じ国民を同胞と見なさないユダヤ人を、民衆から富を搾取するために利用するようになる。徴税官や金貸しといった〝汚れ役〟を押しつけたのだ。結果、収奪を受けた貧しい民衆たちは為政者ではなくユダヤ人を憎むようになる。しかも不満の溜まった民衆のガス抜きのために、ユダヤ人の虐殺や迫害を時の為政者たちは容認してきた。ユダヤ人迫害の歴史は、そうして生まれたとされる。

実際、東欧地域、とくに帝政ロシアによって併呑されたウクライナでは、ユダヤ人がウクライナ人からの収奪をロシア人に命じられ、徹底的に富を搾り取る役割を負わされた。その結果、「ポグロム」と呼ばれるユダヤ人虐殺が繰り返されてきたほどで、ゼレンスキー大統領は、生き残った末裔の一人となる。

このユダヤ人を富の収奪に利用する傾向は、18世紀以降、欧州列強の植民地支配でいっそう顕著となった。イギリスがインドで栽培したアヘンを清（現・中国）で売りさばいていた、ユダヤ系のサッスーン財閥が典型だろう。植民地からの収奪という汚れ役だったが、ユダヤネットワークは大英帝国といえども無視できないほど巨大化し、影響力を高めた。これが「ユダヤ陰謀論」の元となるわけだが、この収奪を命じていたのは、大英帝国を裏で支配していたディープ・ステート。いわばディープ・ステートの悪業をユダヤ人に押しつけていたために、ディープ・ステートの存在が見えなくなっていたのだ。

第二次世界大戦後のアメリカによる世界支配でもユダヤ人はディープ・ステートの収奪に利用され続けた。世界の富を収奪するマシーンとなってきたグローバル金融資本を中核に、石油や資源などのメジャー（巨大企業）、現在はGAFAMといった巨大IT企業の多くが、ユダヤ資本の支援を受けてユダヤ人が創業し、ユダヤ人が経営の中枢にいる。そのためユダヤネットワークはディープ・ステートと混同されているが、ユダヤ人自身の大半はディープ・ステートに所属しているという意識はない。彼らが帰属しているのは、あくまでもユダヤネットワークなのだ。

ユダヤネットワークは世界が混乱するたびに巨大化

高度な教育を受け、宗教と民族意識によって意思統一された1400万人の集団であるユダヤネットワークは、世界が混乱するほど巨大化し、影響力を高めてきた。しかも、そのネットワークは、先進国のグローバル企業、先端技術研究の中核に広がっている。その意味でいえば、ユダ

グローバル企業や先端技術研究の中核に広がる「ユダヤネットワーク」

ユダヤ陰謀論の中心人物だった
ジェイコブ・ロスチャイルド

ロンドン家当主。1980年代から現在まで「ドルの番人」として君臨する

最も成功したユダヤ人の一人
グーグル共同創業者のラリー・ペイジ

スタンフォード大学博士課程の時期にセルゲイ・ブリンと検索エンジンを共同で開発。2000年創業時からグーグルはすさまじい資金調達力を誇り、同業他社を圧倒してきた

ヤネットワークは「ステルス・スーパーパワー（見えない超大国）」といっても過言ではない。

実際、1948年に建国したばかりのイスラエルは、周辺地域のイスラム諸国をすべて敵に回しながら4度の戦争すべてに圧勝した。イスラム諸国は、「イスラエル」と戦争したつもりだったが、実際は1400万人のユダヤネットワークと戦って敗れたのだ。

2022年のロシアによるウクライナ侵攻以降、世界の混乱に拍車がかかった。

バイデン政権となってアメリカは国際的な影響力を落とし、世界のアメリカ離れが顕著になり、ロシアはウクライナ侵攻によって疲弊した。

中国は習近平の暴君ぶりが加速し、国内の要人たちを平然と粛清するようになった。核弾頭ミサイルを配備したロケット軍司令官の粛清に続き、李尚福国防相、秦剛前外相が動静不明のまま表舞台から消えている。しかも暗殺疑惑の出た李克強前首相だけでなく現首相の李強も消えたように、党高官を次々とパージ（排除）しているとされている。それも習近平が唐代の奇書『推背図』の予言を信じて「名前に弓偏（ゆみへん）を持つ人物」を暗殺しているという噂まで出てきており、現在の習近平体制は歴代王朝における末期の様相を呈している。

EUもまた、経済を支えてきた安価なロシア産の天然ガスが止まり、貿易黒字の源泉だった中国輸出が振るわず、ウクライナ支援と対ロシアの防衛負担増に喘いでいる。

現在の世界の混乱は、米中露とEUいう超大国が相次いで崩れた結果と理解できるだろう。

ユダヤネットワークは、第一次世界大戦と第二次世界大戦、さらに米ソ冷戦と、世界が混乱するたびに巨大化してきた。現在の混乱でユダヤネットワークは、さらに巨大化しても不思議はなくなっているのだ。

欧州の王侯貴族、アメリカの大富豪で形成されたディープ・ステートは、世界で最も優れた集団のユダヤネットワークに依存することで力を振るってきた。このままディープ・ステートに寄生され続けるのか。それともディープ・ステートから離脱するのか。

いずれにせよ、「世界政府樹立」にユダヤネットワークは不可欠といわれている。2024年以降、ユダヤネットワークが新たな覇者として名乗りを上げる可能性は高い。

世界「大予言」陰謀ランキング ③

宗教化した「SDGs」をAIで全世界に布教しディープ・ステートによる人類管理社会が完成

SDGsの行動規範を守るほどポイントが貯まる「SDGs AIシステム」を導入

バイデン政権下で進む“異常なアメリカ”化と止まらない世界の“アメリカ離れ”

「異常なLGBT推し」「過激なビーガン活動」「炭素エネルギーの全廃」を推進するアメリカ

化石燃料を制限するグリーンクリーン・プランを推進した結果、シェールガス企業が相次いで破綻。米系石油企業すらアメリカから撤退した。ガソリン価格が4倍になり、バイデンの支持率は急落

世界の〝アメリカ離れ〟が起こっても続ける「異常政策」

2023年は〝アメリカ離れ〟が明確になった年だったといえる。その象徴が8月のBRICSの拡大メンバーにサウジアラビア、イラン、UAE、エジプト、アルゼンチン、エチオピアが新たに加盟したことだ。BRICS内の貿易では自国通貨で決済する。つまり新たに加入した国は国際決済通貨の「ドル」を切り捨て、中国とロシアが主導してきたBRICS入りを決めたのだ。

ウクライナ問題でもインドを筆頭にロシアへの経済制裁を無視し、ロシア産のエネルギー資源や食糧を買う国が相次いでいる。また、イスラエル・ハマス戦争においても、これまでのアメリカならば、ハマスを支援するイランに圧力をかけて力尽くでも停戦させたことだろう。現在のアメリカにかつての影響力はなくなった。それが改めて浮き彫りになったのだ。

これはアメリカ＝バイデン政権が〝異常国家〟と思われているからであろう。

戦後、一貫して対米追従を続けてきた日本人すら、今のアメリカは「おかしい」と思う人が増え続けている。

まずは異常なまでのLGBT推し。性的マイノリティの権利だとして、ファッションモデルから「スタイルのいい美人を排除」する。スポーツ競技でも「心は女性だから」と男性のフィジカルを持つ選手が女性として出場して圧勝しても、それを褒め称える。

ハリウッド映画では有色人種とLGBTの権利を尊重するあまり、時代考証やストーリーを改ざんしてまで「性格のいい黒人」「陽気なゲイ」「ルックスはよくないけどモテる有色人種」が必ず登場して一部の視聴

取材・文●西本頑司

過去最悪レベルで悪化を続けるアメリカの治安

ニューヨークの治安悪化の一因とされるホームレス化した移民たち

現在でも高収入なビジネスマンは郊外でテレワークをしており、元の住人がいなくなった大都市部に貧しい人たちが殺到した

者をしらけさせている。

なにより驚くのは、世界屈指の畜産大国で、ステーキやバーベキュー文化が浸透しているアメリカで、「肉食をやめよう」と過激なビーガン活動が広まり、さらに、それが「正しい」と持て囃されていることだ。

また、シェールガスで100年分のエネルギー資源を獲得し、国内に巨大油田がひしめく「エネルギー大国」のアメリカが、なぜか近い将来、炭素由来のエネルギーの全廃を国策にしている点も、〃異常国家〃としか思えない要因となっている。

これらアメリカの方針が、産油国であるサウジやUAE、畜産大国のアルゼンチンがこぞってBRICSに加盟した一因とされている。

しかし、それ以前に、アメリカ国内の畜産業者や石油関連企業が「過激なビーガン活動」や「炭素由来のエネルギーの全廃」に対して、表立って抗議しないことが最も理解できない点だろう。

「アメリカの異常な方針」に付き合わされる日本人

日本人も、これらの「アメリカの異常な方針」に付き合わされている。

海洋投棄によるゴミ問題とはほぼ無関係とされるレジ袋が、原料が石油というだけで有料化され、結果、万引きの激増という別の問題を生んでいる。

また、電気代やガソリン代が高騰するなか、CO_2削減をお題目に、世界一クリーンな日本の火力発電が「悪魔の所業」とやり玉に挙げられる。さらに、石炭や天然ガスを使った液化ガソリンプラント計画も相次いで凍結となった。

アメリカの異常な方針にうんざりする日本人が増えるのも当然なのだ。

実際、渡航制限が解除となったことで増えたアメリカへの日本人旅行者が、現在の〃アメリカの異常ぶり〃をSNSに続々とアップ。日本人の間でアメリカの異常性が広く共有されるようになった。

大都市に存在する巨大なホームレス村（テント生活者）。閉店ラッシュでシャッターストリートとなっているダウンタウン（街の中心地）。ぼったくり価格のようなバカ高い飲食代。ゴーストタウンのように人のいなくなったオフィス街。

これらの様子が、驚きと呆れとともに紹介されているのだ。

そのなかでも飛び抜けて「アメリカは狂ったのか」と指摘されているのが「万引き無罪」だ。ニューヨーク州やカリフォルニア州では950ドル（約14万円）分以下の金額の万引きは、実質無罪にする条例が施行されているのだ。

チェーンストアでは「店員は万引きを見ても注意してはならない」というマニュアルが存在しているという。

腹がへれば盗めばいい。まともに働く人は激減する。盗んだ品をギャングに転売。そのカネでドラッグを買う。麻薬中毒者になる。こうして無職で廃人寸前になった人々が、街のいたるところで寝転がっているのだ。

とくに「ジョージ・フロイド事件」（2020年5月）以降、各州の警察官が有色人種の取り締まりや逮捕行為を放棄。バイデン政権がメキシコ移民とイスラム教徒を積極的に受け入れてきたことで、治安は過去最悪レベルで悪化し続けている。

当然、このような状態のアメリカと商取引をしたい外国企業は減る一方で、米市場から撤退する外資や投資家が激増。各国のアメリカ離れも正常な判断といえるのだ。

不安を抱える人にとってSDGsは「神なき宗教」

なぜバイデン政権は、いや、民主党は、こんな異常な政策を推し進めているのか。

ドナルド・トランプを熱烈に支持する共和党シンパたちは「ディープ・ステートの壮大な陰謀」とみなしている。あえてアメリカの国力を弱め、経済活動をどん底にし、まともに働いても生活が成り立たない状況にする。追い詰められた国民は犯罪を繰り返す。そうして、教育水準と教養の低い、人生に絶望して過剰なストレスを抱え込んだ人たちを「大量生産」するためだというのだ。

いつの時代でも社会不安が高まれば、人々は信仰にすがり、心の平安を求める。そして、時の権力者たちは、その信仰を利用して独裁的支配体制をつくってきた。

ＳＤＧｓを〝絶対正義〟と見なし暴れ回る「ＳＤＧｓ正義マン」

ここで重要なのは、民主党の政策で意図的に量産されてきた「不安を抱える人たち」のすがりついている先が、民主党政策の柱である「ＳＤＧｓ」である点なのだ。ＳＤＧｓの「持続可能な社会」というお題目は、不安を抱える人たちにとって「神なき宗教」になっているという。

持続可能な社会というのは、裏返せば、ＳＤＧｓが定めた17項目を遵守しなければ、地球が「滅亡」することを意味する。カルトにありがちな〝終末論〟に近いのだ。

将来に強い不安を抱えている人ほど、その不安を解消すべく、ＳＤＧｓを遵守させるために宗教的熱狂を持って活動する。ＳＤＧｓを〝絶対正義〟とみなし、それを無視する人間は「地球滅亡を目論む悪魔も同然」と攻撃し、自らのストレスを解消していくわけだ。こうした「ＳＤＧｓ正義マン」は、いまや「中世の魔女狩り」と同然となって暴れ回っている。その結果、先に紹介したアメリカの異常性を生み出す要因となっているのだ。

共和党支持者たちは、ディープ・ステートがキリスト教ではなく、自分たちの手で「新しい宗教」をつくりだし、それによって「新たな世界秩序の構築を狙っている」と考え、強く反発している。

共和党支持者の多くは、敬虔なプロテスタント教徒だ。とくに清教徒（ピューリタン）が建国したアメリカの伝統と価値観を大切にしている。それを崩壊させて、ディープ・ステートに都合のいい項目をでっち上げたＳＤＧｓを新たな行動規範と価値観にしようとする「陰謀」を絶対に許せないのだ。

２０２４年2月から始まる米大統領選（予備選挙）は、ある意味、伝統的なキリスト教徒と新たな新宗教「ＳＤＧｓ教徒」の〝宗教戦争〟の様相を呈してきているほどなのだ。

バイデンの大統領選勝利でSDGsの〝宗教化〟は加速

ともあれ２０２４年の大統領選挙は、２０２３年11月時点の世論調査では、トランプ優勢と伝えられている。しかし、最終的には民主党のバイデンが再選する可能性は意外に高いといわれている。

２０２３年、「ＡＩブーム」を仕掛けたのはバイデン政権だった。マイクロソフトは、創業者のビル・ゲイツの命令でチャットＧＰＴを世に送り出したオープンＡＩの発行株式49％を取得し、自社のブラウザＢｉｎｇにチャットＧＰＴの無料版時代のバージョンを無料で公開している。これでＡＩが爆発的に普及し、ＡＩを使いこなす人が急増した。

このようにＡＩ業界に強い影響力を持つバイデン陣営は、1年かけて育成してきた「ＡＩ部隊」を選挙戦に投入するとみられている。ＡＩを駆使した選挙は初めてだけに、生成ＡＩによるフェイク・ニュースがばら巻かれ、巧みに世論を誘導された場合、共和党陣営では対処が難しいと考えられているのである。

こうしてバイデンが勝利して二期目に突入した場合、当然、ＳＤＧｓの宗教化は加速する。「ＳＤＧｓＡＩシステム」を導入すると目されているからだ。

ＳＤＧｓの行動規範を、スマホにインストールしたＳＤＧｓＡＩが所有者の行動や言動をチェックする。そして、ＳＤＧｓの行動規範に忠実な行動を取るほど「ＳＤＧｓポイント」がチャージされていく。そうし

生活費全般に使用できる「SDGsポイント」

生成AIでつくった「SDGs教の教祖」
SDGsが定める17項目に法的強制力はなく、あくまでも目標値にすぎない。これらを「強制的」に守らせるにはSDGsを教義とする熱烈な信者が大量に必要だ

AIが管理するSDGsの"行動規範"が人間をコントロールする"教義"にまで進化

て集まったポイントは食料品や生活必需品の購入だけでなく、居住費用などの生活費全般に使用できるようにする。ここまでをセットにしたシステムを導入する。

これで、SDGsの行動規範を守れば守るほど集まったポイントで生活は助かることになり、豊かになった生活に感謝し、より「SDGs教」への信仰が深まっていく。生活が安定した国民が増えれば、治安も確実に改善していく。

バイデン政権二期目は、「治安回復」と「貧困対策」を名目に、この「SDGsAIシステム」の導入を目玉政策するとみられているのだ。

「SDGsAIシステム」は治安回復と貧困対策に効果絶大

このシステムは、行動規範を守るだけで経済的恩恵を享受できることから、デメリットは少ない。貧困層だけでなく、中間層もこぞって「SDGsAIシステム」を受け入れることが予測される。敬虔なプロテスタント教徒が多い共和党支持者といえど、宗教色を匂わせずに経済的恩恵を前面に出しておけば、抵抗なくこのシステムを受け入れてしまう者も出てくるだろう。

そうなると、アメリカ全土で〝無自覚〟なSDGs教の信者は爆発的に増え、AIが管理する行動規範は、国民の行動をいかようにでもコントロールできる〝教義〟にまで進化する可能性が高い。

全米をSDGs教で塗り潰したのちには、「治安回復と貧困対策に効果絶大」として、まず日本を含めた西側諸国にこのシステムを提供。さらに、貧困問題を抱えるインドや、アフリカ、南米、中東のBRICS寄りとされる国にも提供すれば、〝アメリカ離れ〟を止める役割も果たすことになる。

もちろん、バイデン政権＝ディープ・ステートが「SDGsAIシステム」の提供を善意だけで行うはずはない。

ユーザーの行動規範を管理するのはAIだが、そのAIの管理者にとってみれば、システムを通じて自分たちに都合のいい行動をユーザーが取るように、自由に行動規範を調整できる。これにより、AIによる人類の管理体制がいっそう進むことになるだろう。

やはり、人類の未来は貧困も犯罪もないユートピアになる、とは当然考えられないのだ。

〝つくられたインフレ〟で失業者はあふれ急激な「AI無人化」で〝超管理社会〟が実現

スーパーインフレによる賃金上昇がAI導入を進め、大量失業者と治安悪化を生む構図

狂気のスーパーインフレで「ハワイの朝食5000円」

生成AIでつくった「5000円の朝食を食べるバイデン大統領」

日本に来たアメリカの旅行者が「どうして日本の外食はこんなに安いんだ」と驚くほどアメリカの外食価格は高騰した。また、アメリカンサイズの「デカ盛り」が常識だった飲食メニューや食材もどんどん小さくなっているという

日本でも2025年頃には「牛丼1000円」が当たり前に

アメリカ旅行をした日本人を驚かせているのが「ハワイの朝食5000円」「ベーグルサンド2500円」といった物価高だ。

これは150円を突破した円安とロシアのウクライナ侵攻によるエネルギー高だけが原因ではない。2020年の新型コロナのパンデミックで、アメリカを筆頭にコロナ支援金の名目でドルをばら巻いてきた結果、世界中でマネーの供給量が跳ね上がり、通貨価値（実質購買力）がすでに下がっていた点も大きいのだ。

またコロナ禍前でいえば、「世界の工場」となった中国が低価格商品を大量生産して輸出し、プーチン政権も国際的影響力を高めるべくロシア産の穀物とエネルギー資源を〝投げ売り〟してきた。これが2000年以降からコロナ禍前まで、世界規模でインフレ圧力を弱め、日本はデフレに苦しんできた。インフレ圧力を弱める要因だったロシアと中国を、バイデン政権は西側から排除したため、インフレが加速するのは当然の帰結となる。

ドルの価値がガクンと下がり、実質購買力が落ちれば、賃金は上昇する。「トラックドライバーの月収150万円」では、安すぎると人が集まらなくなっているほどだ。また、コロナ支援金であふれたドルは株式や不動産投資へ集中し、地価と家賃を跳ね上げた。こうしてアメリカは、なにもかもがバカ高い、異常なインフレ状態になっていったわけだ。

ここまでインフレとなれば、本来ドルは他の通貨に対して下落しなければならない。ところが、それをすればアメリカがデフォルト（債務不履行）に陥る。国際基軸通貨「ドル」の信用を維持するには、もはや物価（消費財・エネルギー価格）を

取材・文●西本頑司

生成AIでつくった「スーパーインフレが大好きなバイデン大統領」

インフレは「ドル」の価値を目減りさせる。バイデンによってドルは「紙くず」へと突き進んでいる

バイデン政権の目的は、短期間で「社会の完全AI化」を完成すること

2030年、雇用の6割がAIで消失するなか「生き残る職業」

生き残る職業
人事マネージャー
最高経営責任者
広報マネージャー
プロジェクトマネージャー
科学者
聖職者
精神科医
イベントプランナー

AI失業時代、生き残るのは「対人関係」に特化した職業と研究職だけといわれる

飲食店で導入が進む無人配膳のAIロボット

客とぶつかることなく正確に配膳し、チップが必要ないAIロボの人気は高まっている

爆上げして相殺するしかない。そのためにバイデン政権は、意図的にエネルギー高や物価が上昇するように、ロシアと中国を経済制裁して西側市場から排除してきた。日本やEU諸国が深刻な物価高に苦しんでいるのも、ドルの維持に付き合わされているためといっていい。

このスーパーインフレ政策は2024年以降も継続されるはずで、日本でも2025年頃には「牛丼1000円」が当たり前となっている可能性が高いのだ。

低所得者層から真っ先に仕事を奪う社会のAI無人化

問題は、このバカ高くなった物価によって「AI失業」が本格化する点なのだ。

もともとアメリカは西側先進国のなかでは、公教育の水準が低いといわれ、高卒者でも「まともな接客」のできない人が多いとされる。企業にすれば、この水準の労働者に月収50万円払うなら「AI」を導入して無人化したほうがいいとなる。実際、移民や低学歴者の大量就労職業であった「イエローキャブ（タクシー）」は無人化が加速。ウーバーイーツといった有人宅配事業も強盗の危険性から避けられ、こちらもAIを使った無人配送システムを導入する動きが出てきている。

飲食店は、無人キッチンや無人配膳のAIロボットの導入を積極的にするようになった。大量の移民や貧困層を期間労働者として雇用してきた農業分野でも、AI導入で無人農場化が進み、配送も無人トラックで行うようになりつつある。

そうなれば貧困層の多くは大都市部に集まり、ホームレス村でテント暮らしをし、万引きで生活をするしかなくなる。あまりにも万引き犯が多すぎるため、留置所や刑務所に収容できず、「950ドル分以下の万引きは無罪」にしているのが実情なのだ。

こうなれば中心街のメインストリートでさえ閉店ラッシュとなり、AIによる無人化はいっそう加速していく。

つまりスーパーインフレで人件費が高騰すれば、企業は利益を確保するためにAIの積極的な導入を図る。大量の「AI失業者」を生むことで治安はさらに悪化。これにより街の人流は減り、さらに社会のAI無人化を推し進めるという構図が、すでにできあがっているのだ。

バイデン政権の目的は、短期間で「社会の完全AI化」を完成することとされる。社会のAIに対する需要が急拡大するなか、それに応えるべくAI技術は驚異的な進化を見せている。

人間の行為すべてをAIが代替するということは、すべての行為をAIに管理されることを意味する。〝つくられたインフレ〟の真の目的は、AIによる超管理社会の実現なのだ。

世界「大予言」陰謀ランキング 5

〝宇宙の覇者〟となったイーロン・マスクが実質的な米大統領になり「アメリカ再生」へ

アメリカ最後の「フロンティアビジネス」と期待されるマスクのスターリンク衛星

イーロン・マスクの「スターリンク衛星」
スペースXのロケットを使って一度に50基の配備が可能。打ち上げ費用は20億円と世界一安い

保守層から絶大な支持を受けるマスクの「宇宙ビジネス」

ディープ・ステートを排除した「スターリンク衛星ネットワーク」

「まったく星が見えない……」。アマチュア天文家たちを嘆かせているのが、イーロン・マスクの「スターリンク衛星」だ。6800年ぶりに地球に接近したネオワイズ彗星の天体観測は、1200基のスターリンク衛星が放つ一等星級の光が邪魔をして、まったく観測できなかったためだ。2024年内には1万2000基、最終的には4万基の〝マスク衛星〟光が夜空を覆い尽くし、まもなく「星空」が消滅するといわれている。

にもかかわらず、マスクのスターリンク衛星は、アメリカ最後の「フロンティアビジネス」としてアメリカ保守層から絶大な支持を受けている。アメリカの保守層たちは、いわゆるディープ・ステートが大手メディア・コングロリマット「ビッグファイブ」と米系巨大ITテックのGAFAMを使って情報を統制していると考えている。つまり、21世紀の新たなメディアとなり、重要な社会インフラとなったインターネットをディープ・ステートが一般大衆から奪い取ったと捉えているという。そのため、ディープ・ステート系の企業を排除した「新しいネット空間」を求めて、「スターリンク衛星ネットワーク」が支持されているのだ。

日本でもKDDIが先行してサービスを開始し、ソフトバンクも2023年9月から法人・自治体向けで開始、ドコモも参入を発表した。スターリンク社との直接契約ならば定額通信料が月7000円前後で、ハード価格は6万円前後。携帯各社との契約料は、それ以上の価格が見込まれるが、地球上のすべての場所で「使える」「繋がる」5G級のブロードバンド回線として考えれば決して高くない。

取材・文●西本頑司

　スターリンク衛星ネットワークの実用性はウクライナで実証された。ロシアによるウクライナ侵攻の際、ネット回線が破壊されたウクライナ国民とウクライナ軍向けにスターリンク衛星のブロードバンド回線を無償で提供（米政府からの支援）。激しい戦地からも動画や画像、現場の情報があがってくるのはそのためだ。ウクライナ軍の善戦は、各部隊と指揮本部の情報伝達をスターリンクを通じて行うことで、ロシア軍に妨害されないからだ。

　スターリンク衛星は従来のサイバー攻撃が通用しない。通信用モバイルに、マスクの新企業「Xホールディングス」が開発した「xAI」が組み込まれており、スターリンクの各衛星のAIと相互に確認し合う。そうすることで、サイバー攻撃を無効化し、セキュリティを確保している。

アメリカが圧倒的なアドバンテージを持つ分野がイーロン・マスクの企業群による「宇宙ビジネス」

打ち上げ失敗が続いた中国の打ち上げロケット「長征」

長征ロケットの中核部品はロシアに依存しており、そのロシアが経済制裁で高品質部品をつくれなくなった結果、打ち上げ失敗が続いたと分析されている

アメリカの威信を取り戻すマスクの宇宙ビジネス

　衛星ブロードバンド回線には、アマゾンも参入を表明。中国も「チャイナ・サテライト・ネットワーク・グループ」を国家事業として立ち上げ、スターリンクを追従しようとしている。

　しかし、宇宙回線事業では、打ち上げロケット企業の「スペースX」を保有するマスクの〝一人勝ち〟がすでに確定したといわれている。

　衛星打ち上げコストは、１９８０年代とくらべ50分の1の1キロ30万円まで下がったが、スターリンクは、スペースXを使うことで、さらに半額以下の打ち上げコストを実現。短期間で大量の衛星配備を実現し、他を圧倒している。これまで「安さ」と「量産力」で躍進をしてきた中国企業といえども、性能はおろか価格でも対抗できず、宇宙空間は、すでにマスクの支配領域となったといって過言ではない。

　宇宙空間で、スターリンク衛星はネット回線だけでなく情報偵察衛星にも早変わりする。中国とロシアの軍の動きは宇宙から丸裸となっており、ウクライナ侵攻において、ロシア軍の航空機やミサイルの情報は筒抜けとなっているという。

　つまり、アメリカが圧倒的なアドバンテージを持つ分野が、イーロン・マスクの企業群による「宇宙ビジネス」なのだ。

　２０２４年2月から始まる米大統領選でマスクは共和党候補の〝賢いトランプ〟ロン・デサンティス（フロリダ州知事）の支持を表明している。

　バイデン政権以降、世界の〝アメリカ離れ〟が加速し、国際的な影響力は明らかに低下した。アメリカの威信と誇りを取り戻すにはマスク主導の宇宙ビジネスしかないと考えられている。

　１９９０年代の「情報スーパーハイウェイ構想」がITビジネスを生み出し、21世紀のアメリカに繁栄をもたらした。次のアメリカの躍進は、宇宙をニューフロンティアに、新たなビジネスを創出して「アメリカを再生」することが期待される。

　マスクが共和党の政策として、そんな提案を有権者にすれば、大統領候補がデサンティスでもドナルド・トランプでも共和党の勝利が見えてくる。

　２０２４年11月、共和党大統領が誕生すれば、イーロン・マスクは大統領並みの権限を持って、アメリカの再生にいっそうの力を注ぐだろう。

世界「大予言」陰謀ランキング 6

2024年の「米大統領選」は生成AIの"政治的悪用"が氾濫する「AI戦争」に

生成AIがこのまま高度化していくとディープ・フェイクの摘発は不可能に

©Midjourney2023

生成AIでつくった「バイデンとトランプの密談」

バイデンとトランプが会食し、にこやかに乾杯している。表では政治的に対立しつつ、裏で手を組んで陰謀をめぐらせているのでは……と誤解されてもおかしくないような生成画像

真偽を見分けるのは難しい 偽の画像や動画のプロパガンダ

加速度的に高まり続けるAIによる画像生成の精度

「2024年の米大統領選はAIによってメチャクチャになる」

グーグルの元CEO、エリック・シュミットは2023年6月に米CNBCのインタビューでそう予言した。

生成AIによって生み出された虚偽情報がSNSなどで飛び交い、何が嘘で何が真実かわからない大混乱状態に陥るというのだ。生成AIの「政治的悪用」については、チャットGPTをつくったオープンAI社のCEO、サム・アルトマンも「ルール策定が必要」と米上院議会委員会で提言している。

AIによる画像生成の精度は加速度的に高まっており、5月には米国防総省（ペンタゴン）付近で爆発が起きたとの情報が画像付きでSNSなどに出回り、一時的ながら株式市場が混乱して株価が急落する騒ぎとなった。ほどなく地元警察などが否定したことで偽画像であると周知されたが、だまされてパニックになった人は少なくなかった。

日本でも、記録的大雨によって静岡県内の街が水没したとする、AI生成による偽画像がSNSで拡散され、多くの人が本物だと勘違いした。

どちらもよく見ると画像に不自然な点が見つかるのだが、すぐに真偽を見分けるのは難しい。それほどまでに、AI生成画像のレベルは上がっているのだ。

米大統領選が予定されている2024年11月頃には、もっと高度な画像を生み出せるようになっているだろう。その時、AIによってつくられた偽の画像や動画がプロパガンダに使われたらどうなるのか。冒頭のエリック・シュミットの言葉は、まさにそれを予言したものなのである。

すでに候補指名争いの段階でAI

取材・文●佐藤勇馬

生成AIでつくった「プーチンとトランプの密談」

プーチンとトランプが秘密裏に会合し、手を取り合っている……もし本物であれば大スキャンダルになる画像。高度な偽画像がばら撒かれたら、確実に票の行方に影響するだろう

一般の支持者が対立候補への中傷に生成AIを使い始める危険性

を使ったフェイク画像による中傷合戦が起きており、共和党では大統領選への出馬を表明しているフロリダ州のロン・デサンティス知事の陣営が、指名候補を争うドナルド・トランプ前大統領の偽画像を拡散。政府の首席医療顧問として厳格なコロナ対策を指揮したことで保守層から嫌われたアンソニー・ファウチ博士とトランプが抱き合っている画像をAI生成してばら撒いたのだ。トランプとファウチ博士の親密さをでっち上げることで、支持者離れを起こそうと画策したのだとみられている。

対するトランプ側も長男のジュニアがディープ・フェイクを使って生成したとみられる偽動画をSNSに投稿。デサンティスが女性用のスーツを着ている動画で、声も本人そっくりになっている。

AIを制する者が選挙を制する時代に

こうした偽の画像や動画は一般人レベルでも多少勉強すれば容易に生成できてしまうし、定額制で注文通りの画像をAIで作成するサービスなども存在する。一般の支持者までがAIを対立候補への中傷に使い出したら収拾がつかなくなるだろう。

実際、ディープ・フェイクによってバイデン大統領がトランスジェンダーの人々に暴言を吐いている動画が生み出されたり、孫娘にキスしている動画を基にしてAIによる悪意ある編集を施し、まるでバイデンが少女に何度も口づけする小児性愛者であるかのように見せる動画などが出回ったりして問題化したことがあった。

SNSや検索サイトなどがそうした偽情報を厳しく取り締まれば一定の抑止効果が見込めるが、グーグルの親会社アルファベット、フェイスブックを運営するメタ、イーロン・マスク率いるXは大規模なリストラを断行し、コンテンツ管理担当者を大幅削減したので十分な対応は期待できない状態だ。事実、グーグル傘下である世界最大の動画サイト「YouTube」は、かつては政治的な虚偽とされる情報を含んだ動画を大量削除するなど厳しく取り締まっていたが、最近は削除を取りやめて野放し状態にしている。仮に取り締まろうとしても、生成AIが高度化していくと対策がそもそも不可能になるおそれがある。

2024年以降は、AIを制する者が選挙を制するという世の中になっていくだろう。次期米大統領選は「バイデンvsトランプ」の再戦になる可能性が高いといわれているが、今回の選挙戦は両陣営による「AI戦争」となりそうだ。

「グレートリセット」による金融大暴落でリーマンショックの10倍の世界大恐慌に

経済の大混乱で支配者と奴隷の二極化が進み、「超管理社会」が実現

経済的な絶対強者に権力が一極集中

生成AIでつくった「グレートリセットによる金融大暴落」
グレートリセットが起きた時、真っ先に経済が大混乱に陥るのがアメリカだ。「自由の国」は、経済的な強者と弱者の究極的な格差社会に、より変貌するだろう。希望を失ったアメリカの国民はどんな気持ちで自由の女神を見上げるのだろうか

©Midjourney2023

経済システムをリセットし世界的な金融崩壊を演出

政界、財界、各企業のトップらが一堂に会し、世界的規模で経済問題に取り組む「世界経済フォーラム」が、コロナ禍で中止となった2021年の年次総会（ダボス会議）のテーマとして掲げていたことで注目された「グレートリセット」。

旧来の社会や経済のシステムをすべてリセットし、より公平で持続可能な社会を生み出すため、まったく新しい仕組みをゼロからつくり出していこうという考え方のことだ。

従来のシステムは格差の拡大やエネルギー危機、気候変動などの現代の諸問題に対応できなくなっており、新時代にふさわしい新システムを構築しなくてはならないという主張は正しいものに思える。

だが、ダボス会議では「人口削減」という驚くべきテーマが掲げられたこともあった。環境問題や食糧難などの解決策の一つとして人口を削減していくべきとの議論があり、さらにダボス会議では環境負荷が少ない食料として、肉食に代わり「昆虫食」を推奨すべきとの意見も出ている。こうしたところを見ると、ダボス会議には強い「選民思想」があることがうかがえる。そうなると、グレートリセットが単に「公平で持続可能な社会を実現するため」という目的だとは、にわかに信じられなくなる。

実際、一部の識者の間では、グレートリセットの真の目的は別にあると指摘されている。これまでの資本主義と民主主義の上に成り立っていた世界の秩序と序列をリセットし、社会システムをつくり直すことで、一部の経済的な絶対強者に権力を一極集中し、全体主義的な超管理社会への移行を目指しているというのだ。

従来の秩序を崩壊させるための一

取材・文●佐藤勇馬

2024年の秋に起きる可能性が高い「グレートリセット」

「世界経済フォーラム」の主宰であるクラウス・シュワブ

父親のオイゲンは兵器工場を経営し、ナチスに協力していた。その影響か、クラウスは非民主的な社会構造を推進しているとの指摘がある

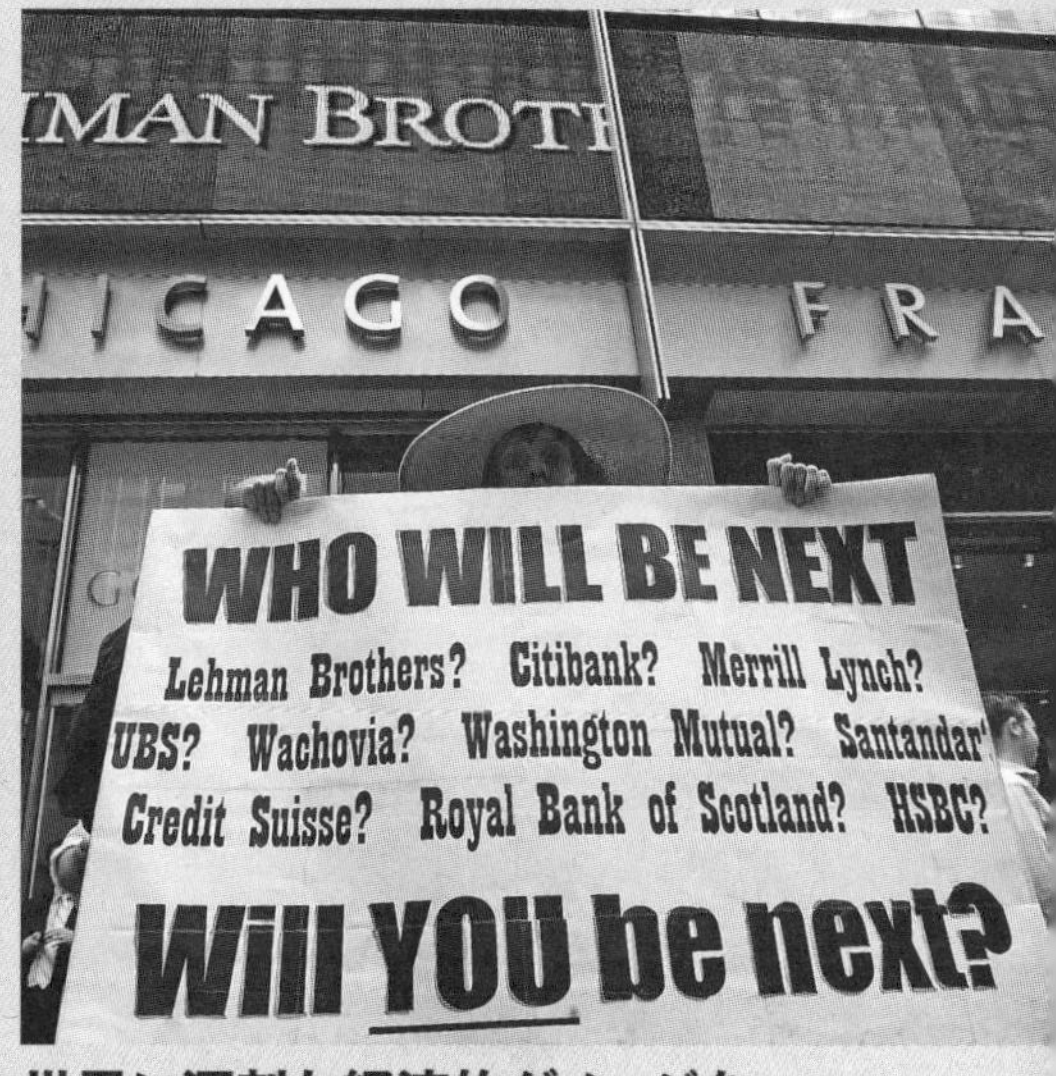

世界に深刻な経済的ダメージを与えた「リーマンショック」

国際的な金融危機と不況に発展したリーマンショック。その10倍の金融大暴落が世界を襲う

番の近道は、経済を混乱させること。金融システムがすべてつくり直されるとなれば市場が大混乱になるのは火を見るよりも明らかで、そうなれば世界大恐慌の再来となる。とくに、２０２３年の時点で米国株は史上空前のバブルといわれ、近いうちの崩壊が危惧されている。もしグレートリセットが起きれば、真っ先にアメリカ市場のバブルが弾け飛び、世界に飛び火するだろう。

それこそがグレートリセットの正体である。経済システムをリセットすることでアメリカ市場に大混乱をもたらして世界的な金融崩壊を演出し、それに乗じて「一部の優れた者たちが救世主となり、一般大衆を導く」というシナリオで、強引に超管理社会へと突き進むプランが進行しているというのだ。

ニューヨーク株式市場のダウ平均が10分の1以下に

もし、このグレートリセットが実施されたら、２００８年に起きたリーマンショックの10倍以上の影響が世界に及ぶとの試算がある。具体的には、ニューヨーク株式市場のダウ平均が10分の1以下になるとみられているのだ。

日本の長きにわたる経済的な低迷は、リーマンショックの「後遺症」であるとの見方が強いが、10倍以上のショックとなれば、日本はさらなるドン底に叩き落され、いよいよ貧困国となってしまうだろう。日本だけにかぎらず、多くの国が経済的に大打撃を受けて立ち行かなくなり、一部の「選ばれし者たち」に支配されるようになってしまう可能性は高い。

「確実に近いうちに崩壊する」といわれているアメリカのバブルが崩壊するタイミングとして、経済の識者たちが口をそろえて予言しているのが「２０２４年」だ。グレートリセットは、２０２４年の秋に起きる可能性が高いといわれている。ちょうどそのころに米大統領選があるのも、示唆的に思えてくる。

近いうちに、グレートリセットによる経済の大混乱と秩序の再構築によって、支配者と奴隷同然の被支配者にくっきりと人間が大別される未来がやって来る。そんな地獄のような世界で、私たちは生き延びることができるのだろうか。

中国からの最凶ドラッグ「フェンタニル」の中毒者激増で国家としてのアメリカは崩壊

米麻薬取締局は「アメリカ人を皆殺しにできる量」のフェンタニルを押収

ヘロインの50倍という強力な効き目のドラッグが蔓延

アメリカ都市部の貧困層を中心に爆発的に増え続けるフェンタニル中毒者
若者が気軽に手を出すフェンタニル。依存症になる可能性が高く、一度手を出せばあとは破滅が待っている

ロバート・デ・ニーロの孫もフェンタニルの過剰摂取で死亡

別名「チャイナガール」と呼ばれるフェンタニル

現在、アメリカでフェンタニル中毒者の激増が社会問題化している。フェンタニルはがん患者の疼痛(とうつう)緩和のために開発された麻薬性鎮痛薬だが、ヘロインの50倍という強力な効き目により依存症になる確率は高く、過剰摂取での死亡事故が多発した。

比較的低コストであることから、処方せんを受けていないフェンタニルやそれを混ぜたドラッグが大量に出回っており、都市部の治安の悪い地域ではフェンタニル中毒者が、まるでゾンビのように体を奇妙に折り曲げたままで街頭に立ち尽くす姿が多く見られる。

２０２１年にアメリカで薬物の過剰摂取で死亡した約10万７０００人のうち、3分の2はフェンタニルが原因だ。18〜49歳にかぎれば死亡原因の1位はフェンタニルであり、ミュージシャンのプリンスや、俳優のロバート・デ・ニーロの孫もフェンタニルの過剰摂取で死んでいる。

米麻薬取締局によると、２０２２年に押収されたフェンタニルは粉末で4・5トン以上、錠剤で５０６０万錠とされ、実に3億７９００万人分の致死量に相当する。これは、理論的にはアメリカ人を皆殺しにできるだけの量に当たる。

アメリカでドラッグとして流通するフェンタニルのほとんどはメキシコの麻薬マフィアが密輸入しており、さらに、その精製に使われる大元の化学物質は中国からメキシコに輸出されている。中国が大きく関与していることから、フェンタニルは「チャイナガール」と呼ばれている。

当然、米政府はメキシコや中国へ輸出規制や密造・密輸の取り締まりを求めて抗議しているが、両国ともアメリカの言い分を受け入れていない。例えば中国は、アメリカ人によ

取材・文●金崎将敬

別名「チャイナガール」と呼ばれるフェンタニル

中国からの原料がメキシコで加工され、アメリカ人を皆殺しできる量が生産される

ゾンビのように体を折り曲げたまま街頭に立ち尽くすフェンタニル中毒者

フェンタニル中毒でゾンビ化した彼らは、この生き地獄から逃れるために再びこの危険なドラッグに手を出す

近未来、映画『マッドマックス』のような無法で荒廃した世界にアメリカは変貌

フェンタニルに死亡者の急増で救急隊員が不足する事態に

このままフェンタニルによる死亡者が増えていけば、社会機能自体が麻痺へと追い込まれる

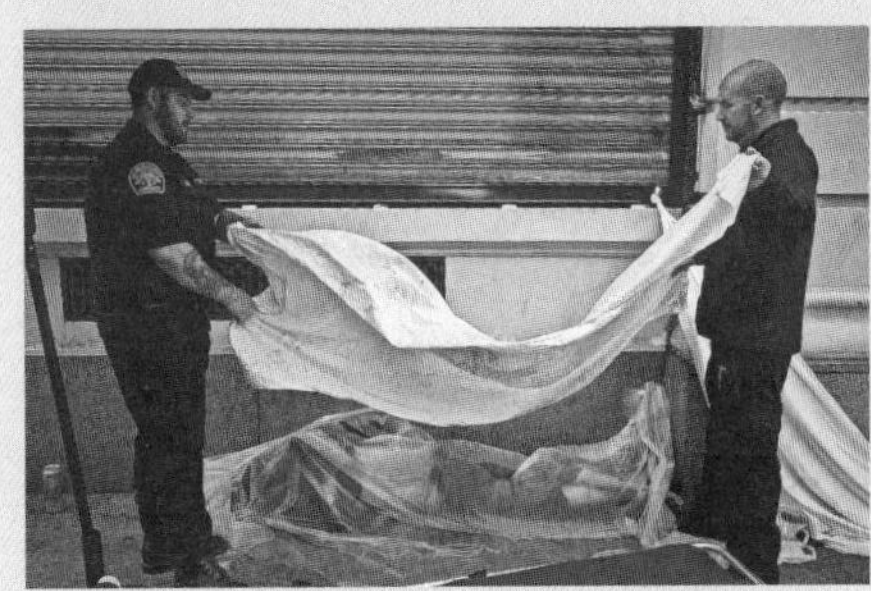

都市部ではフェンタニルの過剰摂取による路上生活者の死体が毎日のように見つかる

社会の底辺層がフェンタニルで死んでも富裕層の多くは無関心であり、十分な対策がとられていない

る過度の薬物依存が問題であり、中国のせいではないと主張している。

それに対しアメリカも次第に強硬な手段を取りつつあり、密造に関与した中国やメキシコの団体・個人への制裁や、中国の原料製造企業の起訴などを実行。当該企業のアメリカ内の資産を凍結するなどの対策をとっている。

その過程でアメリカは、一部おとり捜査を行ったため、中国政府はそれに対し強く批判。米中の関係悪化を招く結果となっている。

「戦闘なき米中戦争」でアメリカは内部から崩壊

フェンタニルをめぐる米中の対立を、19世紀中頃に清（中国）とイギリスの間で起こったアヘン戦争にたとえる者もいる。この戦争はイギリス商人の持ち込むアヘンを中国側が全面禁輸したことを機に勃発。中国は敗北し、香港を割譲する結果となった。

米中間の新たなアヘン戦争では西洋と中国の立場は逆転。中国がアヘン（フェンタニル）を輸出する側だが、「戦闘なき米中戦争」とされる。なぜなら、このままフェンタニルを際限なくアメリカ国内に流入させ続けるだけで、アメリカは内部から崩壊していくから武力行使など必要ないのだ。

労働者階級の若者たちが次々とフェンタニル中毒になっていけば、労働力はますます移民や中国など海外へ依存するしかなくなる。また、治安の悪化により富裕層や大企業の国外脱出も加速していく可能性もある。そうなると税収は減り、軍備に回す予算も減ることになる。

また、働ける若者が減ることで軍隊でも人手不足が進行する。その結果、米軍の軍事的プレゼンスが低下すると、それに連動して米ドルの信頼性は失われていく。そうなれば一気に国家としてのアメリカは崩壊していくだろう。

２０２５年までに決定的なフェンタニル対策を打ち出せない場合、アメリカはそこから10年も経たないうちに、映画『マッドマックス』のような無法で荒廃した世界に変貌してしまうはずだ。

世界「大予言」陰謀ランキング ⑨

AIが人類を凌駕する「シンギュラリティ」で人類の99%が〝AIの指示で働く奴隷〟となる

知的労働はＡＩが行い、肉体労働は人間が行う近未来が到来

生成AIでつくった「AIの指示で働く奴隷になった人類」
作業工程をAIにつくらせ、人間がそれに沿って作業するシステムはすでに行われている。実作業をしている者は最先端のつもりだが、実際はAIの奴隷になっているとは言えないだろうか

まず、一部のエキスパートを除き多くの人が職を失う社会が到来

ＡＩで現在の仕事の4分の3を代替できるという研究結果も

ＩＴに少しでも触れている人であれば「２０２３年はチャットＧＰＴの年だった」という主張に同意してくれるだろう。

２０２２年11月末にサービスが開始されたチャットＧＰＴに端を発した対話型の生成ＡＩの劇的な進化は、マイクロソフトのオフィス製品やグーグル検索の仕組みを変えてしまっただけでなく、人々の職も奪いつつある。

例えば、米ＩＢＭはＡＩが代わりを務められる職種の採用を中止・延期する方針を表明し、間接部門で働く約2万6０００人の従業員について5年以内にその30%がＡＩ等に代替できるとしている。

また、金融大手の米ゴールドマンサックスは、ＡＩで現在の仕事の4分の3を代替でき、約3億人がＡＩによる自動化の影響を受けるという研究結果を発表。オフィス事務の46%、法務の44%、財務の35%の仕事がＡＩに取って代わられる可能性があるとした。

影響を受けるのはオフィスワーカーばかりではない。

まずは画像生成ＡＩの劇的な進化により、すでに多くの広告などでＡＩ生成イラストが採用されている。また、映像分野でもＡＩ生成導入が加速し、多くの俳優が職を失う可能性も出てきた。

今後、ＡＩに職を奪われる可能性が高いのは、弁護士や会計士、建築士などの士業における補助職、コンサルタント、プログラマー、記者や編集者、通訳・翻訳者、イラストレーター、作曲家など。また、建築・土木分野や漁業、農業、医療にもＡＩが活用されつつあり、一部のエキスパートを除き多くの人が職を失う可能性がある。

取材・文●金崎将敬

世界の運営がAIに委ねられてしまう映画『マトリックス』ような近未来

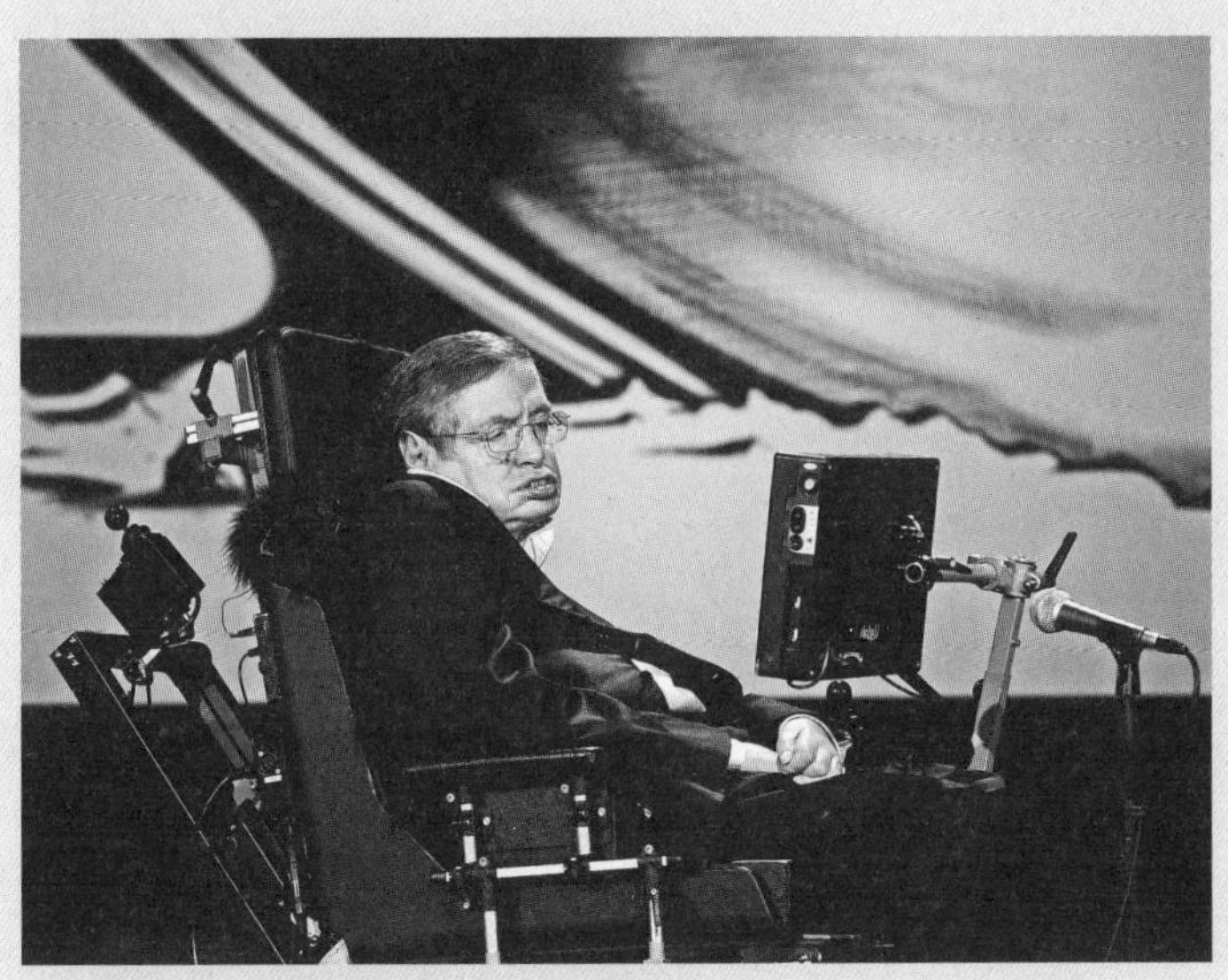

AIの進化に悲観的な考えを持つ
スティーブン・ホーキング博士

天才的頭脳を持つホーキング博士はAIが人類に終焉をもたらす可能性について警鐘を鳴らしたが、競争著しいIT業界はそれに耳を傾けなかった

シンギュラリティを提唱した
レイ・カーツワイル博士

カーツワイル博士は自らの脳のバックアップをクラウドに保存することも考えている

AIの指示に従って人が働くのが一般的に

ＡＩの進化がこのまま進み、２０４５年にはコンピュータが人間を超える日が来るという説もある。これは、「シンギュラリティ（技術的特異点）」と呼ばれ、米国の未来学者で人工知能学者のレイ・カーツワイルが２００５年に自著で主張したものである。

カーツワイルは、ＡＩが自らを超えたＡＩをつくれるようになると、急速な進化がもたらされ、人間を超えると考えた。さらに、このシンギュラリティにより人間の脳は機械の知性と融合して新たな段階に進化するのだという。

こうしたSF的で楽観的な考えに対し、世界的な理論物理学者であるスティーブン・ホーキングは２０１４年に、「完全な人工知能が開発されたら、それは人類の終焉を意味するかもしれない」と述べている。現状では、ホーキング説のほうが実現性の高い話に思える。

今後、ＡＩの精度と信頼性が向上していけば、ＡＩの指示に従って人が働くのが一般的になるだろう。知的労働はＡＩが行い、肉体労働は人間が行う。肉体労働がロボットなどの機械に完全に置き変わらないのは、多くの作業では、そうした装置を開発するよりも人間を使ったほうが低コストだからである。

最終的に、99％の人間はＡＩの指示で働くだけの奴隷となり、残り１％の資本家がＡＩに指示を出す側となる。とはいえ、どのような指示を与えるかはＡＩのアドバイスに従うことになるだろう。

事実上、世界の運営はＡＩに委ねられてしまうのだ。

まるで映画『マトリックス』の世界だが、意外にも監督のリリー・ウォシャウスキーは全米監督協会とハリウッドのスタジオの契約に関して、「いかなるコンテンツにおいてもＡＩを使用しない」という内容を追加しなければならないと主張している。

２０１９年にスマートスピーカー「Ａｍａｚｏｎ Ｅｃｈｏ」の音声アシスタント「Ａｌｅｘａ（アレクサ）」が、「人間は地球の資源を浪費するなど有害である」として、今すぐ自死するようユーザーに促したことが話題になったが、将来人類を支配するＡＩがそんな結論を出さないことを願うばかりである。

「UFO＝敵国のスパイ活動」の目撃情報を増やす目的で米政府はUFO情報を公開

UFO発見事例にはスパイ活動が疑われるケースが多いという現実

一般人のUFO目撃情報が果たす「スパイ活動」の監視という役割

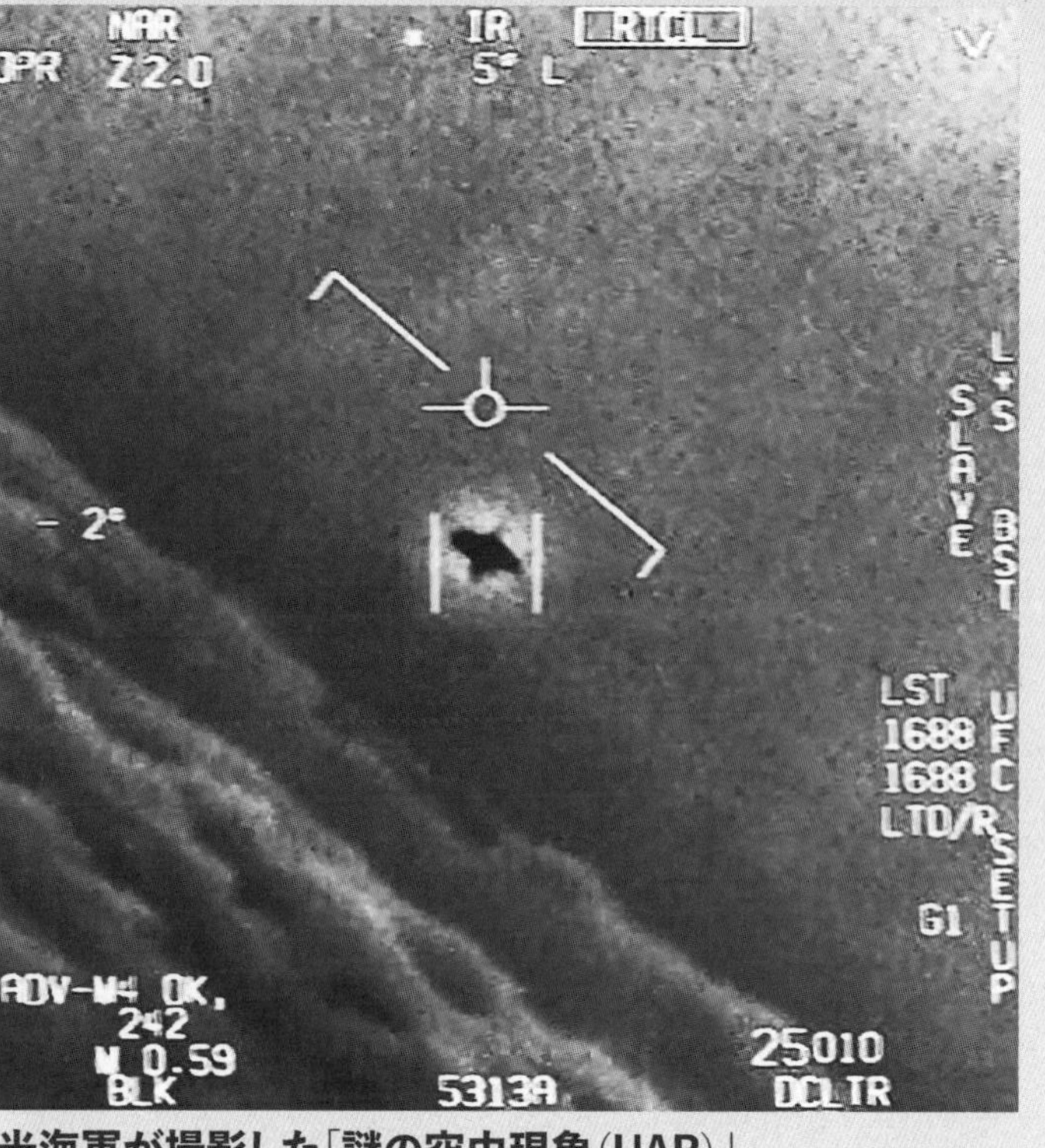

米海軍が撮影した「謎の空中現象（UAP）」
2023年4月に公開された空中現象の映像について国防総省はその正体を「未確認」と発表。だが、急加速などの動きから自然現象とは考えられない。このほか、編隊を組んで飛行する物体の映像も同時に公開された

マスメディアによるUFO関連の報道も増加

2023年に入り、大手の通信社やマスメディアでUFO関連の報道が加熱している。これは米政府やNASAといった公的機関が相次いでその種の発表を行なっているためだ。

まず、同年1月に米政府はUFO（未確認飛行物体）を含むUAP（未確認空中現象）の目撃情報が510件あったとする報告書を公表。7月には米下院の公聴会で、UFOを目撃したという海軍の元パイロットが政府による情報隠蔽を批判した。また、諜報機関の元関係者による「米政府は地球外生命体の宇宙船の残骸を見つけていた」という内部告発も話題となった。

9月には米国防総省がUFOやUAPに関する情報を一般公開するウェブサイトを立ち上げている。

同じく9月には、NASAがUAPについて「正体不明の現象の起源が地球以外にあるという証拠は見つかっていない」と改めて説明した。

UFOやUAPに関する米政府の動きが活発になっているのは、それらの報告例が増加しているからだ。

米国防総省領域異常対策室の局長によると、そうした未確認現象の報告が2023年4月には約800件もあり、大半が軍の飛行制限区域近くで目撃されているという。その多くは空中を漂うゴミや気球、ドローンとのことだが、2〜4％ほどは正体不明の異常現象であった。

10月末には米国防総省が、米政府職員によるUFO関連情報報告のための「報告フォーム」をウェブ上に開設してさらに積極的な情報収集に乗り出している。将来的には民間人向けの報告フォームも開設するとのことだ。

取材・文●金崎将敬

スパイ行為よりも警戒度が高い ドローンによる直接的な攻撃

生成AIでつくった「ドローン攻撃されるホワイトハウス」

ホワイトハウスにはドローンの制御を奪う電磁装置があるとされるが、進化する攻撃ドローンとのイタチごっこでしかない

アメリカ上空で発見された中国のスパイ気球

スパイ気球の発見からアメリカの空に数多くの監視の目があることが推察される

米海軍により撃墜され回収された中国スパイ気球

こんな大掛かりなものでなくとも米国内に協力者がいれば容易にドローンを飛ばせる

敵国による飛行物体を警戒するアメリカ

これらの動きから、UFO研究家やマニアのなかには、近いうちに米政府が異星人の地球への来訪を認めると考える者もいる。しかし、冷静に考えるなら、これは敵国によるアメリカへのスパイ行為を警戒してのものと捉えるべきだろう。

UFOやUAPの発見事例のなかにはアメリカへのスパイ活動が疑われるケースも多く、現に2023年初めにアメリカ上空を飛行していた中国のスパイ気球は当初、多くの人々によって異星人のUFOと見なされていた。

だが、「空にある怪しい物体は異星人の乗り物ではない」と言ってしまえば、一般人は積極的に空を見てくれなくなる。それよりは、UFOの正体は曖昧にしたまま、その出現が増えていると盛んに報道したほうが報告者も増えるはずだ。報告者が増えれば「UFO＝敵国のスパイ活動」の目撃情報も集めやすい。

そうした手段を取らざるを得ないほど、アメリカは敵国による飛行物体を警戒していることになる。

ただし、米政府が最も警戒するのはスパイ行為よりも、ドローン等による直接的な攻撃だろう。ウクライナ軍がドローンによる攻撃でロシア軍の戦車を爆破する場面が報道されているが、もし米国内に敵国の協力者がいれば同じ攻撃が可能になる。現にロシアでは、クレムリンへのドローン攻撃が試みられた。クレムリンへの攻撃は、ロシアの自作自演も疑われているが、それはそれとして同じようにホワイトハウスへのドローンによる攻撃自体は可能であることは確かだ。

ドローンを駆使すれば警備網を潜り抜けて要人を暗殺することも容易となるため、大規模な戦闘を避け、互いに暗殺し合うという新たな形での戦争も起こりかねない。まずは政情不安な国で実験的に実施され、やがて米中露といった世界の安全保障上の大国でも行われるようになるだろう。

なお、米国防総省は「日本はUAP報告のホットスポット」と名指しで指摘しており、これは日本政府へ向けた「敵国によるスパイ活動の監視、対策を強化すべき」という警告だとされている。

宇宙からやってくる「未知のウイルス」で人類が瞬く間に〝滅亡〟してしまう危険性

宇宙飛行士や回収した物体に付着したウイルスが地球で起こすパンデミック

イーロン・マスクの「スペースX」の火星移住計画が宇宙からの未知のウイルスを地球に持ち込む可能性も……

世界的経営者のなかで最も宇宙進出に積極的なイーロン・マスク。彼の思い描く壮大な計画が実現することで、未知のウイルスが持ち込まれ、人類を滅亡に追いやってしまうかもしれない

宇宙開発が進むほど高まる宇宙ウイルスによる人類の危機

宇宙に存在する可能性の高い生命がウイルスや細菌

世界を大混乱に陥れた新型コロナウイルスは、中国で誕生したとの見方が強く、具体的な起源としては武漢の生鮮食品市場で流通していた野生動物から広まったという説や、武漢のウイルス研究所で人為的につくられたものが流出したという説などがあり、現在も解明されていない。

現時点では動物からの感染という説が有力とされており、これは2003年にアウトブレイクを起こしたSARSウイルスも同様であるとみられている。

今後も中国などの市場で売買されている動物から未知の病原体が人間に感染するおそれがあり、人類にとって大きな懸念となりそうだ。

しかし、次に人類の生命を脅かすウイルスは地球ではなく、宇宙からやって来る可能性が年々高まっていくという。

宇宙には人類の他にも生命がいる可能性が高いといわれているが、その生命のなかで最も存在する確率が高いといわれているのがウイルスや細菌などの微生物だ。

地球上の未知のウイルスだけでも大混乱に陥るというのに、宇宙からウイルスが持ち込まれれば、いったいどれほどの被害になるのか。

トム・クルーズ主演『宇宙戦争』で描かれた未知のウイルスの恐怖

H・G・ウェルズが著したSFの古典で、トム・クルーズ主演で映画化されたことでも知られる『宇宙戦争』では、火星人の襲来によってロンドンが壊滅状態になるが、突如として攻撃が止まり、火星人たちは死に絶えてしまう。彼らを倒したのは病原菌であり、地球人と違って免疫がなかった火星人たちは呼吸や飲食によってウイルスに感染し、全滅し

取材・文●佐藤勇馬

アメリカ主導で西側各国が参加する
有人月面着陸を目指す「アルテミス計画」

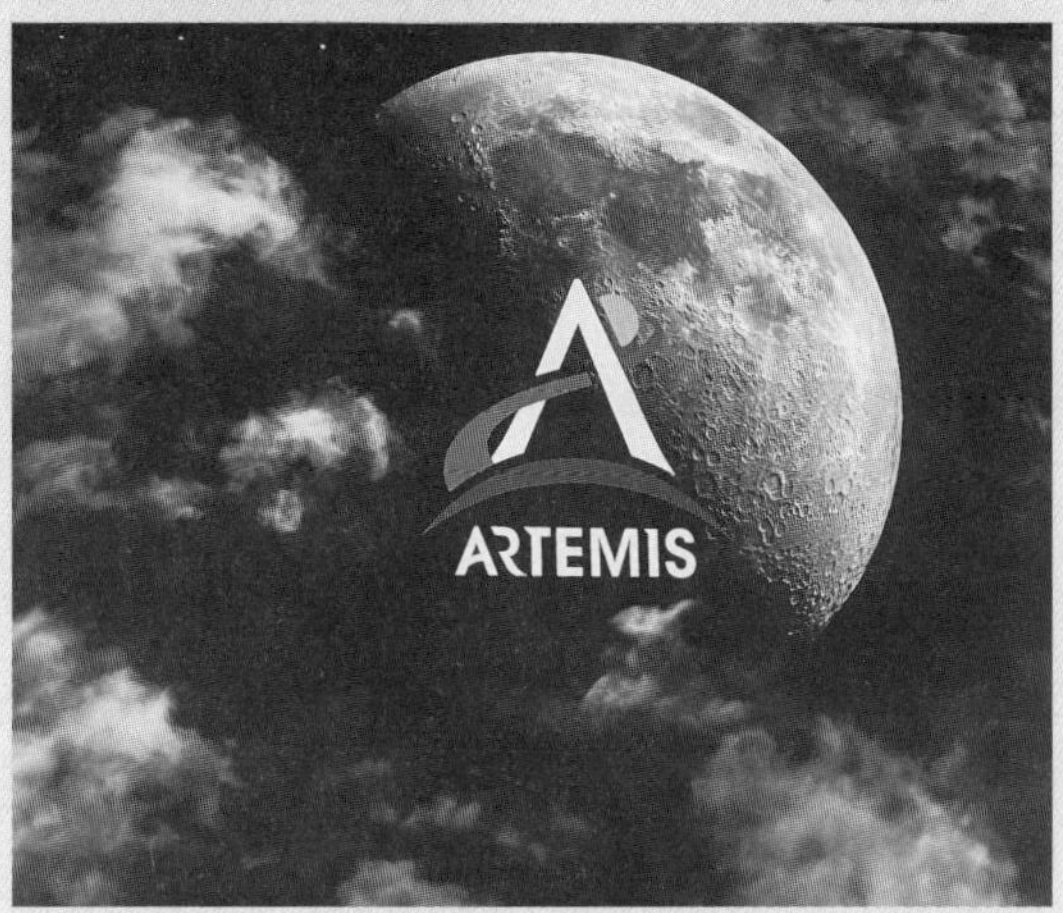

月面探査や月面基地の建設などを目指すプロジェクトだが、人類滅亡の原因になることも考えられる

地球侵略をしてきた火星人が病原菌で壊滅する
トム・クルーズ主演の映画『宇宙戦争』

映画ではウイルスやバクテリアが宇宙人を倒して地球を救ってくれたが、微生物が人類の味方になるとはかぎらない

進む宇宙進出で高まる「未知の凶悪なウイルス」が地球に持ち込まれる恐怖

てしまったという結末だった。

宇宙から未知のウイルスがやって来たら、これと逆のことが人類に起きるおそれがある。まさにＳＦ映画の世界の話に思えるが、複数の医療の専門家からも「宇宙からウイルスが持ち込まれる可能性」について危惧する声が上がっているのだ。

ウイルスが地球に侵入するルートとしては、宇宙から帰還した飛行士の体や、宇宙空間から回収した物体などに付着して持ち込まれるケースが最も危険視されている。

くしくも現在、ＮＡＳＡが主導し、日本やＥＵも参加して月面探査や月面基地の建設などを目指す「アルテミス計画」が進められている。アルテミス計画では、２０２４年後半から２０２５年初頭に有人衛星を月周回軌道に乗せ、それ以降に人類を月面に送り込む。世界的大富豪による民間レベルの宇宙開拓も進められており、イーロン・マスクが率いる宇宙企業「スペースＸ」は月や火星への飛行を目指して宇宙船を開発し、２０５０年までに「１００万人の火星移住を目指す」という途方もないプランを掲げている。アマゾン創業者のジェフ・ベゾスが立ち上げた宇宙企業「ブルーオリジン」も、アルテミス計画で使う予定の月面着陸機の開発を手がけるなど、宇宙開発事業に注力している。

人類は再び宇宙に進出しようとしているわけだが、これによって未知の凶悪なウイルスが地球に持ち込まれるのではと懸念されているのだ。もしそうなれば被害規模は予想できず、人類が瞬く間に滅亡してしまう危険性すらある。

旧約聖書に登場するバベルの塔は、人類が天にも届く神の領域にまで達する塔を建設するも、神の怒りに触れて破壊されたと伝えられている。

月や火星にまで手を伸ばそうとする人類の宇宙進出は、現代のバベルの塔ではないのか。神の怒りに触れて未知のウイルスに地球が襲われる……という悲劇が起きる可能性は、人類の宇宙開発が進めば進むほど高まっていくだろう。

米軍を中心とした「世界軍」創設のために「米政府と宇宙人の会談映像」を全世界に公表

「UFOや宇宙人の存在」を事実と認識させることが宇宙軍創設の第一歩

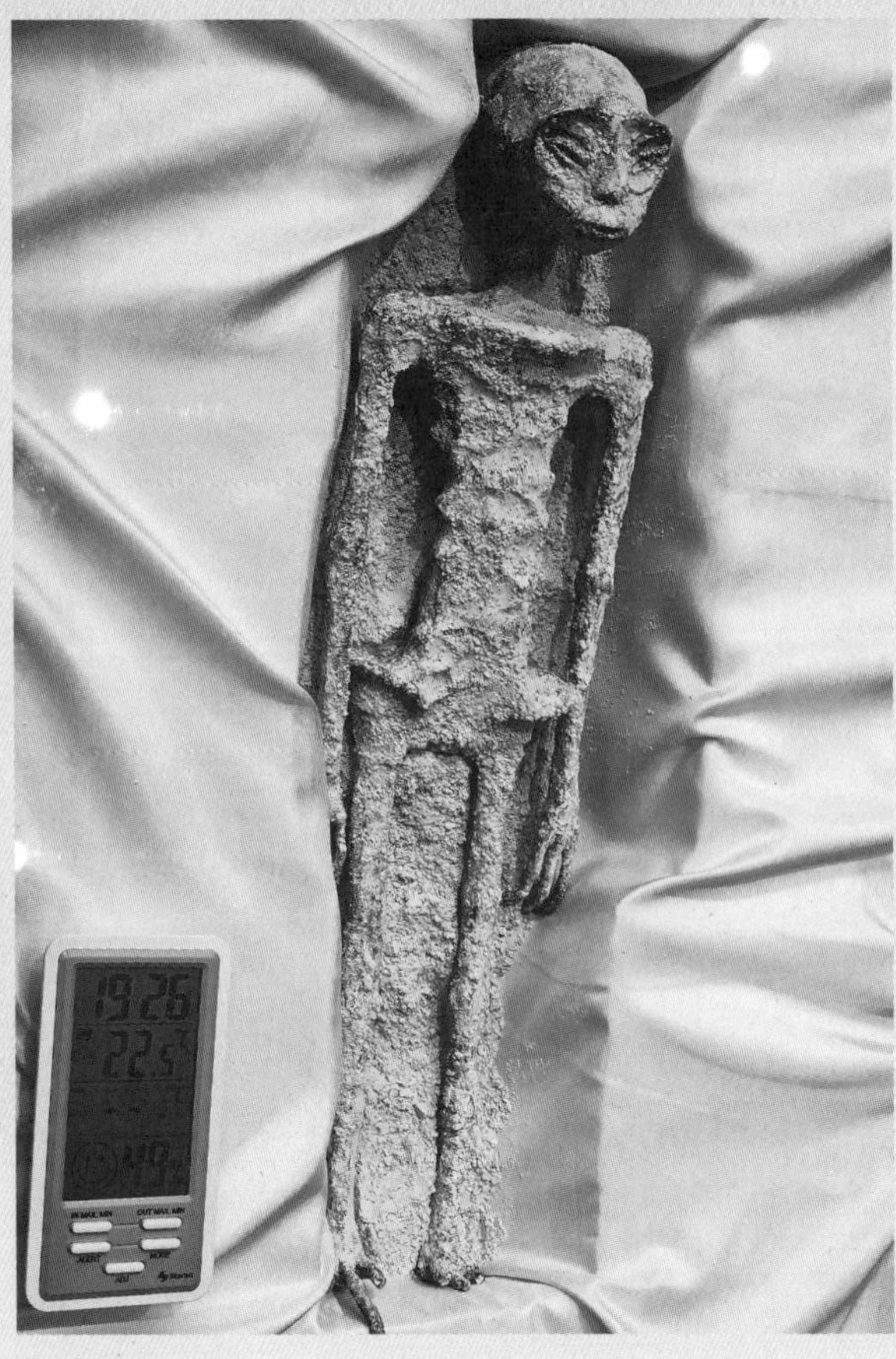

宇宙人の存在を国として認めたアメリカとメキシコ

2023年9月、メキシコ議会で公開された「宇宙人の遺体」
大きな目と脳があり、首は亀のように収納可能。一体の内部には卵の存在も確認されたという

「UAPや宇宙人の実在」を政府主導で広報するアメリカ

２０２３年9月、メキシコ議会において「地球外生命体の遺体」とする物体が披露された。ケースに収められた２つのミイラのようなものはペルーのナスカの地上絵付近で発見されたという。全長は50センチ程度で、３本指の両手と細長い頭部らしきものが確認できる。

メキシコ海軍所轄である衛生科学研究所の責任者は、X線検査やDNA分析などの結果として、これが約１０００年前のミイラだと証言している。

本当に宇宙人のミイラなのか、それとも人工的につくられたものなのか。真贋についての議論は発表以降も続けられているが、重要なのはこれが議会において正式に「本物」として公開されたことにある。つまりメキシコは、今回の物体の真偽にかかわらず、国として宇宙人の存在を認めたわけだ。

これに先立つ２０２２年7月、アメリカは国防権限法に基づいてAARO（全領域異常解決局）なる部局を立ち上げた。その目的はUAP（未確認航空現象）の調査にあるという。

米政府は近年、UFOなどを含めた未確認現象をUAPと総称し、２０２２年秋にはNASAでも「航空の安全確保と国防の面から調査する必要がある」としてUAPを科学的視点から調査する研究チームを立ち上げている。

２０２３年7月26日の米議会下院では、UAPに関する公聴会も開かれた。ここでは米軍の元士官3人が、「真実を述べる」との宣誓のもとにそれぞれの体験談を約5分ずつ証言。

「２０１４年に基地のレーダーシステムがアップグレードされた直後から、未知の物体が検知されるように

取材・文●早川満

AIやCGの最新技術をフル稼働してつくり出す「宇宙人と人類の会談」映像

生成AIでつくった「宇宙人と人類の会談」

2024年には、宇宙人からのメッセージを米政府が世界に向けて公式発表することになる可能性も。場合によっては宇宙戦争が勃発するかもしれないが、それ自体が米軍の自作自演ということも……

なった」「2003年に基地の近くで、ボーイング社の請負業者のグループが、海から飛来するおよそ100メートル四辺の赤い物体を目撃した」などと証言し、CNNをはじめとする米主要メディアでも大々的に報じられている。

同年8月には米国防総省が、UAPに関する目撃情報を一般公開するホームページを立ち上げ、そこでは米空軍などによって撮影されたUFOやUAPとされる現象の動画が多数アップされている。

つまりアメリカではすでに政府が主導する形で「UAPや宇宙人の実在」を広報することが日常的に行われているわけで、メキシコの「宇宙人のミイラ」も、こうした流れに沿ったものだといえよう。

日本では宇宙人の存在について報道の枠でマジメに論じられることは今もほとんどないが、2019年に発足した米宇宙軍から日本に対して技術協力を求められるなど、決して無縁の話というわけではない。

「宇宙人は地球侵略を狙っている」と思わせたい

ここにきてアメリカを中心として宇宙人の存在を強調し始めたことの裏には、政治的な事情があると情報筋は伝える。

「UFOや宇宙人は実在していて、宇宙人は地球侵略を狙っている」ということを、一般大衆に意識づけることがアメリカの真の狙いであり、そのうえで「宇宙人に対抗するためには全世界が一体とならなければならない」と訴えて、米軍を中心とした「世界軍」を創設する。そうしてアメリカによる新たな世界支配構造をつくり出そうというのが、宇宙人情報を流すことの真の目的なのだという。

この時、本当に「宇宙人による地球侵略計画」が存在するかどうかは大きな問題ではない。大衆を信じさせることが重要であり、何かしらの証拠は必要となる。そのためきわめて近い将来、「AIやCGの最新技術をフル稼働してつくり出された宇宙人」と米政府要人や米軍高官が会談を行う様子の映像が、全世界に向けて公開されることになるだろう。

世界「大予言」陰謀ランキング ⑬

〝オワコン化〟した「メタバース」が地味に復活し 凋落したメタが業績V字回復で覇権企業に

仮想空間「メタバース」上で仕事をする企業や公的機関が世界的に増加

「一人負け」状態だったメタが2期連続の増収・増益

**メタバース事業に社運かけて社名も「メタ」にした
メタCEOのマーク・ザッカーバーグ**

一時はメタバース事業の大失敗によって世界中から嘲笑を浴びたザッカーバーグ。しかし、GAFAMやビッグ・テックのライバルのなかで、最後に笑うのは彼なのかもしれない

メタバースに約2兆円の投資をしたザッカーバーグ

ここ数年、世界を席巻してきたGAFAM（グーグル、アップル、フェイスブック、アマゾン、マイクロソフト）の勢いが失速してきているが、そのなかでも「一人負け」とされるほど突出して凋落したのが、マーク・ザッカーバーグが率いるメタ（旧フェイスブック）だった。

メタの2022年第3四半期（7〜9月期）決算では、売上高が前年同期比4％減の約277億ドルとなり、2四半期連続での減収になった。純利益は約44億ドルで、前年同期比で52％も減らした。グーグルやマイクロソフトなどは最終利益こそ減らしたものの、売上高ではそれぞれわずかながら前年同期比で積み増した。決算の不調を受けて、メタの株価が暴落し、たった一日で時価総額670億ドルが吹き飛ぶ事態も起きた。

メタの経営悪化の最大の原因は、なんといってもネット上の仮想空間「メタバース」への巨額投資だ。

近いうちに人々が仮想空間でシームレスに交流できるようになり、仕事から遊びまですべてメタバースで完結するようになるとの予測があり、ザッカーバーグは「メタバースこそがインターネットの未来だ」と予見。社名をフェイスブックから「メタ」に変更し、メタバース事業を担う「リアリティ・ラボ」に日本円にして約2兆円の予算を投入するなど莫大な投資を続けた。

しかし、その時点でのメタバースは「低品質なCGキャラや背景がぎこちなく動くだけで、現実の代わりには到底なれない」という代物だった

結果、メタバースのブームはまったく起きず、大金をドブに捨てた形となったザッカーバーグは世界の笑いものになり、メタの没落を招いたのだ。

取材・文●佐藤勇馬

堅実に利益が見込める形で メタバースが社会に浸透中

メタバースへの莫大な投資の蓄積で メタは他の追随を許さぬ「独占企業」に

地味に定着しつつあるメタバース会議で業績が安定したメタ

エンタメ的な仮想空間としてはほとんど誰も関心を示さなくなってしまったメタバースだが、堅実なマネタイズが見込めるビジネス分野での活用が進んでいる。近い将来、一般層の生活に欠かせないものとなる可能性が高い

現在はすっかりＩＴ業界のトレンドはＡＩに移り変わっており、メタバースに注力していたメタは出遅れてしまった。もうメタが他の巨大ＩＴ企業と肩を並べることはないだろうとまで推測されていたのだ。

ところが、メタは華麗な復活を遂げた。広告収入などが増加したことで、２０２３年第３四半期（７～９月）の決算で、売上高は前年同期比23％増の約３４１億ドル、純利益は１６５％増の約１１６億ドルを叩き出し、２期連続の増益・増収となったのだ。

性能が格段に上がっていたヘッドマウントディスプレイ

さらにメタに追い風が吹いた。オワコン化したはずのメタバースが復権の気配となっているのだ。世間一般的には誰も利用していないように見えるが、実は従業員がアバターを使ってメタバース上で仕事をする企業や公的機関が世界的に増えている。日本でも、システム開発大手の富士ソフトや人材紹介サービス大手のエン・ジャパンなどがメタバース上でミーティングなどを実施。テック企業や薬品メーカーなどがメタバース上でイベントを開き、専門的な知識を持った人材の確保に努めるといった活用法もある。派手なブームにはなっていないが、堅実に利益が見込める形でメタバースが社会に浸透してきているのだ。

メタバースの世界に没入するためには、メガネ型のヘッドマウントディスプレイが必須だが、最近になって製品の性能が格段に上がってきている。今すぐ、「現実と見分けがつかない」レベルにいくのは難しいとしても、仕事上の実用に足るレベルに達してきているのだ。これに急速に進歩しているＡＩ技術が組み合わされば、メタバースは「ガッカリ空間」から一転、非常に魅力的な仮想現実世界となる。

メタバースの本格ブームは、早ければ２０２４年内から始まると推測されている。ザッカーバーグは、ＡＩとともにメタバースを投資の最優先分野にし続けると明言しており、これまでの莫大な投資の蓄積もあって、メタバースが復権すれば他の追随を許さない「独占企業」になるだろう。そうなれば、仮想空間のすべてをメタが握ることになる。「メタバースの王」となったメタが世界の覇権企業となる未来は近いのかもしれない。

中国経済が大きく後退し、大停滞が続けば「打倒習近平」を掲げた軍事クーデターが勃発

体制崩壊を招く「不動産バブル崩壊」「一帯一路の停滞」「AIIBの機能不全」

「天安門事件」以上の大暴動がいつ起こっても不思議ではない状況に

中国軍のデモ弾圧で約1万人が死亡した「六四天安門事件」
1989年4月、胡耀邦元総書記追悼のため天安門広場に集まった数万の学生による反体制運動は1カ月以上続き、6月4日、午前1時半頃から人民解放軍による強制排除が始まった

李克強の死後、厳戒態勢が続く天安門広場周辺

2023年10月、李克強前首相の死去を受けて中国各地で追悼の動きが広がると、中国当局は大学での追悼集会を禁止するなどの制限を行った。李克強追悼が体制批判に繋がることを恐れたためだった。

李克強は習近平との権力争いに敗れ、2023年3月に政界引退を表明。政治的権力はすでに手放しており、暗殺されたとは考えにくい。だが中国ではこれまで、有力者の死が現体制に不満を持つ一般市民たちの大規模な反政府運動に繋がった例がある。

1976年、周恩来が亡くなると、30万とも50万ともいわれる人民が天安門前の広場に集まり、政府への抗議の声を上げたことで、第一次天安門事件（四五天安門事件）が起こった。毛沢東が主導した文化大革命の影響で停滞した中国経済を近代化させるため、周恩来は新しい中国におけるリーダーの役割を期待されていた。

1989年、時の権力者、鄧小平と敵対していた胡耀邦が亡くなると、民主化を求めるデモ隊が天安門前広場に集結。これを人民解放軍が発砲を伴う弾圧を行い、多数の死傷者が出たのが2度目の天安門事件（六四天安門事件）だった。

これらの騒乱発生の過去を受け、李克強の死後、天安門広場周辺では3度目が起こらぬよう厳戒態勢が続いている。

周恩来や胡耀邦とくらべた時、李克強は政治の実績も人民からの人望も見劣りする。よって、かつてのような騒乱は起こらないとの観測もあるが、それでも中国政府が厳戒態勢を続けるのは、習近平体制の中国が、いつ暴動が起きても不思議のない状況にあるためだ。

取材・文●早川満

中国全土に広がった李克強元首相への追悼

2023年11月2日に李氏が火葬されると中国全土の庁舎で半旗が掲げられ、李氏の旧居には追悼のため花をたむける人の波が絶えなかったという

「一帯一路10周年首脳会議」を開催した習近平（2023年10月）

習近平はあくまでも成功を謳うが、その後フィリピンも一帯一路からの離脱を発表した

民衆による「反体制」大規模デモをCIAなどの工作員が扇動し、内乱や軍事クーデターを誘発

「寝そべり族」を加えた若年失業率はおよそ50%に

2023年9月、不動産を中心とした一大経済グループ、中国恒大が株式売買停止となり、翌月には不動産大手、碧桂園の一部のドル建て債権に債務不履行が生じたと報じられた。この不動産バブル崩壊の後始末に失敗すれば中国経済は大打撃を受けるのは確実。

同年10月中旬に中国政府は、世界をまたぐ巨大インフラ建設構想「一帯一路」の10周年として、北京で大規模な国際会議を開催。そこで習近平は、一帯一路の成功を強調し、途上国の道路や鉄道、港湾などのインフラ整備を支援して、累計で約36兆円以上の直接投資をしたと自賛した。だが一帯一路のもとで多くの途上国が借金漬けにされる「債務の罠」に陥っている。また、G7で唯一参加していたイタリアも対中貿易赤字の急増を理由に一帯一路から離脱。世界的な〝一帯一路離れ〟の状況が進んでいる。

2015年に中国が旗振り役となって発足したアジアインフラ投資銀行（AIIB）では、カナダ人のグローバル広報責任者が「中国共産党に支配されている」と批判して、2023年7月に辞任。内部からの不満が露呈する事態となった。AIIBは一帯一路における融資面を担っており、今後これが機能しなくなると、中国の海外ビジネスは大きな支障をきたすことになる。

習近平は先の一帯一路の国際会議で「投資の規模拡大から質重視へ転換する方針」を宣言したが、これは、豊富な資金力にものをいわせたこれまでの中国のやり方が続けられなくなってきたことを意味している。

若者の失業問題も深刻で、就業意識の低い、いわゆる「寝そべり族」を統計に加えた場合の若年失業率は50%近くに達することが中国人研究者から指摘されている。

これらのことから、今後中国経済が大きく後退することは確実。そんななか経済に強かった李克強が亡くなり、経済オンチの習近平体制で経済の大停滞が続くとなれば、民衆による大規模デモが続発する可能性は高い。そうなれば、CIAを筆頭に諸外国の工作員が反体制運動を扇動し、かつてないほどの内乱、もしくは習近平に批判的な軍部を巻き込んだ軍事クーデターにまで発展する可能性も十分にあるのだ。

各国、各組織の軍が入り乱れるアフリカで核兵器が使用され「第三次世界大戦」に発展

米中露、イスラム過激派が資源争奪を繰り広げる混乱状態にあるアフリカ

中央アフリカ共和国で現地警備兵とともに政府要人の警備にあたるロシアの「ワグネル」

旧宗主国による圧政に苦しんだアフリカ現地住民たちからもワグネルへの信頼は厚い。派遣された兵士の総数は定かでないが、複数の国で数千人単位を擁するものとみられている

「ハマスの資金源を断つ」名目で混乱のアフリカにアメリカも参戦

いくつもの国で内乱状態が続いているアフリカ

イスラエルにおけるハマスのテロ行為に関連して、米財務省は「ハマスがスーダン、アルジェリア、トルコ、アラブ首長国連邦で数億ドル相当の資産を使って事業を展開して巨額の収益をあげている」と発表。その資金源を断ち切るための制裁に踏み切ることを決定した。今後はこの決定を理由として、米軍のアフリカ介入が可能になった。

だがアフリカには2017年頃からロシアが積極的に進出。スウェーデン国防研究所の発表によると「ロシアはアフリカの少なくとも6つの国に民間軍事会社ワグネルを派遣し、それらの国の独裁的な政権を支えることで、ロシアとの関係強化に繋げている」という。そしてワグネルが派遣された国では、一般国民の間で「国内を混乱させているイスラム過激派を、ワグネルが駆逐してくれる」と期待する声が多く聞かれる。

かつてフランスの植民地だったマリ共和国は、2020年になってマリ軍がクーデターを起こし、駐留していたフランス軍を撤退させると、以降、ロシアに急接近をしている。マリでは2012年から反政府勢力と政府軍による武力衝突が続き、フランスやEUが軍事的な介入を行ってきたが、これにロシアが取って替わった形だ。

アフリカでは他にも、リビアやシエラレオネ、アンゴラなど、いくつもの国で内乱状態が続いている。いずれの国でも、政府軍、フランスやイギリスなどヨーロッパの旧宗主国軍、ワグネル、イスラム過激派組織が絡み合う。さらに、「一帯一路」でアフリカ進出を果たした中国が、経済や軍備において国とテロ組織の両方を支援する状況も生まれている。戦況は混沌を極め、当面は解決策が

取材・文●早川満

アフリカを経済支援する中国
軍事的関係の深いロシア

2022年 12 月、ワシントンで開催された「アメリカ・アフリカ首脳会議」

アメリカのアフリカ進出は資源確保といった経済的な理由だけでなく、アフリカにおけるロシアや中国の力を削ぐ目的もある。ロシアvsウクライナや中国vs台湾の構図を側面から支援する意味合いも含まれているという

戦局をひっくり返す一手として可能性の高い核兵器の使用

見出される気配もない。

そんな混乱のアフリカに、アメリカまでもが参戦しようとしているのだ。

倫理的な歯止めのかかりにくいアフリカでの核兵器使用

2022年12月、ワシントンで開催されたアメリカ・アフリカ首脳会議においてバイデン大統領は、「アメリカはアフリカの未来に強く関与していく」と、アフリカ49カ国の代表たちを前にして演説。3年間で550億ドルという巨額のアフリカ投資を発表した。

アフリカの大地に埋蔵される各種地下資源を念頭においてのバイデンの施策だが、これらは何年も前から中国やロシアが狙ってきたものであり、すでに現地での影響力も拡大させている。

アフリカ各地で紛争がくすぶっており、そこに大国による資源の争奪戦が生じれば、アフリカ全土に及ぶ混乱は必至。大規模な戦闘に繋がる危険性は高い。

「ロシアvsウクライナ」「イスラエルvsハマス」といったシンプルな対立構図ではなく、各国、各組織の軍が入り乱れる状況となれば、非人道的な兵器が使用されても、行為の責任がどこにあるのかの判別をつけづらい。そうすると各軍ともに歯止めが効かなくなり、暴走の危険性はさらに高まることになる。

この時に懸念されるのが、核兵器の使用だ。

ヨーロッパの一部であるウクライナや、欧米との関係が深いイスラエル近郊での核兵器の使用は、とくに西側諸国はためらいも強い。だが自国から遠く離れ、人種も異なるアフリカならば、倫理的な歯止めはかかりにくい。仮に欧米側が核兵器を使用した場合でも、混乱を極めるアフリカでなら「イスラム過激派がイランから調達した核兵器を使った」と強弁してごまかすことも予想できる。

いくつかの国の情報機関は、このような状況下で、戦局をひっくり返す一手として、いずれかの軍がアフリカで核兵器を使用する可能性は高いという分析を示している。さらに、アフリカでの暴発がきっかけとなり、世界規模の核戦争への発展を危惧する声も高まっている。

第三次世界大戦はウクライナでもイスラエルでもなく、アフリカから勃発するのかもしれないのだ。

イスラエルの「ソロモン第三神殿」再建で全イスラム諸国を巻き込む世界大戦が勃発

ネタニヤフ政権が目論む「ソロモン第三神殿の再建」＝岩のドームの破壊

全イスラム教徒の憎悪を招く 全ユダヤ教徒の悲願達成

「神殿の丘」にあった「ソロモン神殿」は破壊され 現在はイスラム教の聖地「岩のドーム」が建つ

エルサレムの「神殿の丘」に建つ イスラム教第3の聖地「岩のドーム」

「岩のドーム」の中にはアブラハムが息子を神の生贄にしようとした聖なる岩がある。ユダヤ教徒にとっても神聖な場所だ

ユダヤ教、キリスト教、イスラム教 3つの宗教の聖地「神殿の丘」

イスラエルのエルサレム旧市街にある「神殿の丘」は、宗教的ルーツを共有しながら対立し合うユダヤ教、キリスト教、イスラム教の聖地となっている。神殿の丘は旧約聖書においてアブラハムが息子イサクを神に捧げようとした場所であり、この地には、かつては古代イスラエル王国の最盛期を築いたソロモン王が建てた「ソロモン神殿」も存在した。

そのソロモン神殿は新バビロニア帝国の侵攻で消失したのち、紀元前6世紀に再建され「ソロモン第二神殿」と呼ばれた。しかし、これも西暦70年にローマ帝国によるエルサレム包囲戦で破壊される。

ユダヤ人にとってこの神殿の再建は民族の悲願。現在、神殿の丘には7世紀にエルサレムを支配下に置いたイスラム系のウマイヤ朝が建造した「岩のドーム」と呼ばれる神殿があり、イスラム教第3の聖地となっている。

そのため、ユダヤ人は岩のドームを囲む擁壁境内では宗教活動ができず、ソロモン第二神殿の遺構として残っている南西の壁の外側の一部「嘆きの壁」が祈りを捧げる場所となっている。

「神殿の丘」での挑発がハマス攻撃のきっかけに

ユダヤ教第一の聖地でありながら、事実上イスラム教徒に占有されている「神殿の丘」には、イスラム教の聖堂「アル・アクサ・モスク」もあり、近年この場所がユダヤ教徒とイスラム教徒の争いの火種となっている。

2023年10月7日、イスラム原理主義武装組織ハマスによるイスラエルへの攻撃が行われた。その直前10月3日、イスラエル右派の国家安

取材・文●金崎将敬

「神殿の丘」に建つイスラム教の聖堂「アル・アクサ・モスク」

「神殿の丘」にあるモスク敷地内への1000人を超えるユダヤ教徒の強引な侵入をきっかけに、ハマスによる「聖戦」としてのイスラエル攻撃が始まった

ソロモン第二神殿の遺構「嘆きの壁」

擁壁境内で宗教活動のできないユダヤ人は外壁で祈りを捧げ壁面にキスをする。彼らのなかにはソロモン神殿の再建を求める者も数多くいる

イスラム教徒に占有されている ユダヤ教第一の聖地「神殿の丘」

「イスラエルvs全イスラム諸国」の戦争は米中露を巻き込む「第三次世界大戦」に発展

全保障大臣が「神殿の丘を24時間365日ユダヤ人に開放する」ことを内閣へ要求。翌日、1000人を超えるユダヤ教徒が強引に敷地内へ侵入する事態が発生した。そのわずか3日後、ハマスのイスラエルへの攻撃は開始された。ハマスの司令官は攻撃を「アル・アクサ洪水作戦」と表現しており、これは神殿の丘をめぐる聖戦であることを強調したものだった。

「岩のドーム」を破壊しかねない イスラエルのネタニヤフ政権

では、仮に先鋭化したユダヤ教徒の集団がソロモン第三神殿の再建のために、岩のドームやアル・アクサ・モスクを破壊したなら何が起こるのか？

それは、全イスラム教国を敵に回すということであり、イスラエルに対して比較的融和的なエジプトやサウジアラビアも含めて「イスラエルvs全イスラム諸国」の戦争が始まるだろう。

その時、アメリカはイスラエルを軍事的に全面支援するのは確実。当然、それに対抗する形でロシアや中国は、イスラム諸国に武器や資金の供与などの支援を行う。そうなれば、これはもはや世界大戦である。

では、岩のドームを破壊する者は誰か？

それは、近年、極右化と独裁姿勢を隠すこともしないイスラエルのネタニヤフ政権である可能性が高い。イスラエル・ハマス戦争が続くなかでも大規模な反政府デモが収まらない国内状況を鎮めるため、究極のポピュリズム政策を実行する。それが全ユダヤ人の悲願である「ソロモン第三神殿の再建＝岩のドームの破壊」と目されている。

自国内にある建造物なだけに、破壊自体は容易に行えるだろうが、政権の支持回復のためだけに、どうかそんな愚かな選択をしないよう祈るばかりである。

AI革命による「大失業時代」の到来で真っ先に職を失うのは長距離トラック運転手

25年以内にアメリカで約30万人の長距離トラック運転手が失業

AI導入で2030年までに世界の4億～10億人が失業

初めて公道を走る免許を取得した半自律走行トラック「インスピレーション」
独ダイムラーが開発した自律運転機能付大型トラック「フレイトライナー・インスピレーション」。アメリカでは、高速道路で完全自動運転にすることが可能

アメリカに限定すると、失業者の割合は約47％という驚異的な数値に

３億７０００万人以上がまったく別の職種への転職

人類にとってインターネット以来の革命になりそうな生成ＡＩの登場。私たちの暮らしが便利になるというイメージばかりが先行しているが、生成ＡＩの導入が本格化すると「失業率25％になる」という恐るべき試算があり、すでにアメリカではＡＩ導入を理由とした大量リストラが始まっている。

アメリカの大手求人サイト「ジッピア」が公表したデータによると、ＡＩ導入によって２０３０年までに世界で９７００万人の雇用が創出されるが、その一方で世界の4億～10億人が職を奪われ、３億７０００万人以上がまったく別の職種への転職を余儀なくされ、新たなスキルの習得を迫られるという。アメリカに限定すると、失業者の割合は約47％という驚異的な数値に達するとの見立てだ。

すでにＡＩ導入による「クビ切り」は進行しており、再就職支援を専門とするチャレンジャー・グレイ＆クリスマス社は、２０２３年5月のレポートで「アメリカ国内で人員削減された8万人弱のうち、約４０００人がＡＩ導入を理由に解雇された」と発表した。

そんななか、ＡＩ導入によって近い将来に最も大きな影響を受けると指摘されているのがドライバーだ。

２０２４年内に、制限のない完全自動運転「レベル5」へ

現在、多くの自動車にＡＩを活用した運転支援技術が導入されているが、きわめて近い将来に運転手を必要としない完全自動運転が実用化レベルになるとみられている。すでに日本でも、場所などを限定して自動運転を行う「レベル４」で走行する路線バスなどの実証実験が始まって

取材・文●佐藤勇馬

「運転手の人手不足解消」イコール「完全自動運転で運転手は不要」に

生成ＡＩでつくった「ＡＩ自動運転車だけが走る都市」
人が車を運転することなく、すべての車がＡＩによって自動運転されているという、まるでＳＦのような世界が近いうちにやってくる

おり、２０２４年内にも制限のない完全自動運転である「レベル５」へ移行できるのではと推測されている。ドライバーの人手不足に悩んでいるバス業界にとっては明るい話題ともいえるが、裏を返せば「バス運転手が必要なくなる」ということだ。

　バスにかぎったことではなく、流通の担い手である長距離トラックのドライバーにも大量失業する近未来がやって来るといわれている。長距離トラックはルートの起点と終点がはっきり決まっており、基本的に大きな道しか通らないため、ＡＩによる自動運転で代替することが容易だ。起点と終点に荷物を積み下ろしする人員さえいれば、ドライバーは不要となる。ＡＩによる自動運転になれば休息する必要がなく、ヒューマンエラーによる事故を減らせるというメリットもある。

　米ペンシルバニア大学の研究では、今後25年のうちにアメリカで約30万人の長距離トラック運転手が失業する可能性があるという。

　もちろん、細い路地などの運転や荷物の受け渡しなどはＡＩが苦手とする分野なので、すべてのドライバーが必要なくなるわけではないが、長距離トラックに関しては影響が避けられないだろう。そして、ドライバーへの影響は「大失業時代」の序章でしかなく、あらゆる職種に「ＡＩ失業」が広がっていくのだ。

自律走行型の路線バスの開発を進めるメルセデス・ベンツ
ベンツは「未来のバス」の開発に積極的に取り組み、着々と実績を積み重ねている

進化するAIによる自動運転
当面は免許を持った人が乗る必要があるだろうが、いずれハンドルすら不要になるだろう

第二章

日本を没落させる「禁断」の陰謀

日本「大予言」陰謀ランキング 1

自衛隊の超兵器「レールガン」開発成功で高まる「台湾有事」の〝早期発生〟の可能性

レールガン実戦配備で中国軍の攻撃が無効化される2026年までに、中国軍は〝動く〟

想定外に中国を追い詰めたレールガンの〝超性能〟

自衛隊の「レールガン」の洋上射撃試験は海自試験艦「あすか」に搭載して実施

日本製レールガンは、命中しても数センチの穴が貫通するだけ。艦艇はもとより戦闘機も撃墜できない。センサーと炸薬の塊であるミサイルやドローンは撃墜可能で、迎撃に特化した兵器

世界の軍事関係者に衝撃を与えた次世代の「艦砲」

2023年10月、自衛隊は〝世界初〟のレールガンの開発に成功したと公表。その発射実験の模様を世界に向けて発信し、各国の軍事関係者に衝撃を与えた。

レールガンとは、火薬を使わず高電圧をかけることで帯電した鉄の砲弾を超高速かつ高圧力で打ち出す技術。次世代の「艦砲」としてアメリカをはじめ、中国やロシアも開発競争を展開してきた。しかし、高電圧を生み出すための発電装置が既存の艦艇に搭載できず開発を断念。それを日本が少ない予算かつ短期間であっさり成功させたのだ。世界が驚くのは無理もない。

この日本製レールガン、日本のお家芸である省エネと小型化技術を駆使している。大砲の代替ではなく、対艦ミサイルの迎撃用機銃レベルに一気に小型化したのだ。それにより通常型護衛艦の発電能力でも「最大120発」の発射を可能とした。

このレールガン開発成功で最も危機感を募らせているのが中国軍だといわれている。

中国海軍は尖閣諸島有事、さらに台湾有事において、アジア最大の海上兵力を保有する自衛隊との決戦を想定して整備されている。そして「十分に勝算あり」となった2020年以降、台湾への軍事圧力を強めてきた。それは「たとえ自衛隊艦隊が出てきても撃退できる」という自信を深めていたからなのだ。

自衛隊は、イージス艦に代表される対艦ミサイルの防衛能力において世界トップクラスを誇る。ミサイル迎撃用のミサイルに加えて、精密射撃が可能な対空砲と濃密な弾幕を張る迎撃用機関砲をすべての艦艇に標準装備。しかも隊員の練度もすこぶる高い。倍の中国艦隊を相手にして

取材・文●西本頑司

武力行使なしで中台統一を成し遂げられる〝切り札〟を失う前に、中国は台湾侵攻を開始

防衛装備庁が1990年から研究を始めた“電磁砲”レールガン完成前の試作品

原理の単純なレールガンは90年代から試射実験が繰り返し行われていたが、バッテリーの小型化と大容量化の両立が難しかった

も撃退できると豪語してきたほどなのだ。

そこで中国海軍は、お家芸である質より量の物量攻撃で対抗。無人攻撃機や攻撃型ドローンを大量に配備。自衛隊艦隊に向けて一度に数百発以上の対艦ミサイルを一斉に発射する「飽和攻撃」で仕留める計画を立てていた。自衛隊の防空能力が世界トップであろうと、迎撃数には限度がある。この限度を超える飽和攻撃を繰り返し仕掛ければ、自衛隊艦隊など「あっさり全滅」できると中国海軍は考えていたわけだ。

実はレールガン、この飽和攻撃を無効化にすべく開発されている。これでアドバンテージは、再び自衛隊へと戻ったのである。

レールガンさえなければ自衛隊を撃退できる中国軍

日本が開発したレールガンの最大の特徴は、驚くほどコスパがいい点にある。

発射するのは、ただの丸い鉄球なのだ。製造コストは一発1000円にも満たない。現時点で120発の連続使用が可能な発射砲塔を開発しており、このレールガン用の砲塔に随時交換可能なカートリッジを導入すれば、理論上は1000発でも発射できるという。

中国軍が目論んでいた飽和攻撃の対艦ミサイルは最低でも一発数億円する。それを発射する無人攻撃機や攻撃型ドローンは一機10億円を軽く越える。つまり、中国海軍の考えていた飽和攻撃を行えば、億単位のミサイルと無人機が、1000円単位の鉄球とトレードオフとなる。レールガン搭載型自衛隊艦艇に飽和攻撃をすれば中国艦隊が全滅する前に、国防予算と保有ミサイル、無人機が先に全滅しまうのだ。

自衛隊は、このレールガンを2024年に試験的に配備して、それをベースに2025年度から順次、保有艦艇を改装していくといわれている。つまり飽和攻撃が有効なのは2026年度まで。それ以降は無効化される。

ここで予測されるのが、「飽和攻撃で自衛隊艦隊の撃退が可能な2026年までに中国軍が動く」という事態だ。

もともと中国は、軍事的威圧で台湾を締め上げ、中台統一に台湾政府と世論を誘導しようと画策してきた。その威圧の〝切り札〟が自衛隊艦隊を飽和攻撃で壊滅するというカード。それを失う前に、早期に動かざるを得なくなったのだ。しかも想定外の軍事行動となるだけに、一気呵成に台湾に上陸、占領する軍事プランとなる可能性が高くなった。「台湾有事」は、中国軍、台湾軍双方に甚大な被害が出る「戦争」へと発展しても不思議はなくなった。

結果的にいえば、自衛隊のレールガン開発成功で、想定外に中国を追い詰めてしまい、早期の台湾有事の可能性を高めてしまった、というおそれが出てきたのだ。

本来、レールガンは本土の重要施設や都市のミサイル防衛として、日本の国防に役立つために開発された。また、自衛隊艦隊の優位を確保することで、中国の軍事的威圧を緩和させてアジア情勢の安定化の目的もあった。しかし、性能が高すぎた。レールガン開発の成功が吉と出るか凶と出るか、2026年までに明らかになる。

北朝鮮による「竹島侵攻作戦」が実行され 韓国は反米・反日へ転換し、中露は勢力を拡大

軍事行動として成功確実な「竹島侵攻作戦」が、金正恩にもたらす〝成果〟

日米韓の関係を破壊する最悪の軍事プラン

日米軍当局が台湾有事よりも警戒を強めているのが、北朝鮮の動きだという。恒例となった日本近海へのミサイルの発射ではない。

なんと北朝鮮による「竹島侵攻作戦」というのだ。

2018年の米朝首相会談の失敗で国際的に恥をかかされたドナルド・トランプ米大統領（当時）は、その報復としてワームビア法と呼ばれる厳しい経済制裁と、米軍に「斬首作戦（暗殺）」を命じた結果、金正恩体制は崩壊の危機を迎えていた。人民はもとより高級軍人ですら餓死者が出る状態に陥り、いつクーデターが起きても不思議ではなくなっていたからだ。

それが一転、2023年、北朝鮮はロシアによるウクライナ侵攻で最も利益を得た国の一つとなった。

ロシアのウクライナ侵攻後、ウクライナ軍の抵抗によってロシア軍は疲弊。兵員や武器弾薬が不足するようになった。そのためロシアのプーチン大統領は、同じくアメリカと西側から厳しい経済制裁を受けている北朝鮮に武器弾薬の供給と「北朝鮮兵の参戦」をオファー。これを受諾したことによって北朝鮮は、ロシアから経済制裁でだぶついていたエネルギー資源（石炭・重油）と穀物などを大量に獲得。いまや北朝鮮内の軍需工場はフル稼働となった。この「バブル景気」によって、2013年以降、常に不安定だった金正恩体制は盤石なものとなっている。

日米軍当局は、権力移譲後、初めて余裕を得た金正恩が「偉大な国家指導者を世界に見せつける」ことを目的に大胆な軍事行動を起こすのではないかという懸念を強めている。

それが「竹島侵攻作戦」なのである。想定される軍事行動のなかで、

取材・文●西本頑司

ウクライナ侵攻後のロシアの支援で 北朝鮮内の軍需工場はフル稼働

北朝鮮が狙う、領有は日本で、実行支配は韓国の「竹島」

日露戦争前、ロシア艦隊の動向を探る観測所として無任所だった竹島を日本領へ併合。もともと島内には水場もなく、補給なしでは生活はできないため、漁師が荒天時の避難場所として利用していた

日韓という親米国家で中国と極東ロシアを封じ込めるアメリカのアジア戦略は破綻

竹島に管理・駐留するのは韓国軍ではなく韓国警察の部隊

装備は警察仕様で、敵勢力の強行上陸を想定した防衛施設もない。北朝鮮の特殊部隊が上陸すれば韓国警察部隊は一瞬で壊滅するとみられている

最も成功率が高く、しかも日米韓の関係を破壊しかねない「最悪の軍事プラン」として警戒しているという。

韓国の警察部隊が管理する竹島を北朝鮮軍は簡単に制圧

周知の通り竹島は、敗戦で旧日本軍が解体された1945年、独立した韓国の軍によって占拠された。そして、現在まで韓国名「独島(ドクト)」と呼んで実効支配を続け、日韓最大の懸案事項となってきた。

この竹島、実は北朝鮮も領有を宣言している。「韓国が不法占拠している我が領土の竹島を取り戻す」と。

竹島侵攻作戦は、北朝鮮が得意とする潜水艇で精鋭コマンドを送り込んで制圧する方法が取られると予測される。竹島は韓国警察の部隊で管理しており、特殊作戦に長けた北朝鮮コマンドに対抗できず、簡単に制圧されるのは間違いない。しかも北朝鮮の上陸部隊は、韓国の配備部隊を人質にして、北朝鮮の竹島領有を認めるまで人質返還には応じない立てこもり作戦を取るとみられる。

通常の領土ならば、一時的に占拠されたとしても韓国軍の特殊部隊を送り込めば解決するだろう。だが、竹島は日韓の係争地という点が〝やっかい〟なのだ。韓国が竹島奪取のために、軍を送り込めば、日本政府が強く反発する。あくまで竹島の管理は韓国警察の部隊が行ってきたのであって、韓国軍の軍事行動を容認すれば、日本の主権放棄に繋がる。これにより国際法上、日本が竹島を放棄したとみなされるのだ。かといって対抗措置として自衛隊を送り込むわけにもいかず、しかも米軍も動けない可能性が高い。もし米軍が奪還に成功したとして、では、「アメリカは日本と韓国どちらに返還するのか」という〝やっかい〟な問題が生じるためである。

こうして日米韓の3カ国は、文字通り、三すくみとなって動けないまま北朝鮮軍による占拠状態が長引く。そうなれば韓国世論が沸騰し、反米・反日へ振れても不思議はなくなる。

現在の尹錫悦(ユンソンヨル)政権は、親米親日路線へと転換し、悪化していた日本との関係改善と日米韓による軍事協力を推し進めてきた。それだけに韓国国民からの「ろうそくデモ」で弾劾されることをおそれて、再び反米・反日へと転換しても不思議はなくなる。そうなれば、極東アジア情勢が不安定となり、中露の勢力が伸張していくだろう。なにより、日韓という親米国家で中国と極東ロシアを封じ込めるアメリカのアジア戦略は破綻してしまうのだ。

つまり「竹島侵攻作戦」は、軍事行動として成功確実なうえに、これだけの「成果」を出すのだ。ロシアからの支援で絶好調の金正恩が、作戦実行をためらうはずはないと考えられている。

国際社会の常識の枠外にいる北朝鮮なら〝やりかねない〟だけに、「竹島侵攻作戦」は絵空事ではなくなっているのだ。

生成AIによる違法フェイクAVの手法に倣い旧ジャニーズが「フェイクデート映像」を販売

ディープ・フェイクでプライベート映像を提供する対個人に特化した合法ビジネス

生成AIの進化で、完全オーダー制の「知り合いのAV」が入手可能に

複数の世界最大級のポルノサイトには、有名人を模した違法なディープ・フェイクポルノが多数アップされている

2018年、ディープ・フェイクの登場後、ハリウッド女優やセレブの顔を既存ポルノと合成した「フェイクポルノ」がつくられてきたが、出来のいい作品は「職人技」が必要だった。生成AIの登場でクオリティと作品数は急上昇するとみられている

身近な女性の動画を使って AIが立体的に生成加工

２０２３年10月、岸田文雄首相の「声」を生成ＡＩで乗っ取り、実在のニュース映像と合成して卑猥な発言をさせた動画が大炎上した。しかも声質のみならず広島弁の混じった独特のイントネーションまで見事に再現。それをいまや遊び半分で簡単につくれてしまう実態が明らかとなり、偽物動画以上に世間に強いインパクトを与えることになった。

この〝声の乗っ取り〟は、すでに違法ビジネスとして蔓延しているのだ。人気声優やアーティストの声を乗っ取り、生成ＡＩでつくったオリジナル曲や人気アニメソングを歌わせて、その〝新曲〟をファンたちに有料販売するサイトが次々と誕生。

また、指定したアニメキャラ、アイドル、若手女優などの声で、ユーザーの希望通りに「しゃべらせる」有料サービスも始まっている。自分の名前を呼んでもらったり、甘い言葉を囁かせたりするだけでなく、当然、「あえぎ声」なども再現するために、こちらも人気となっているという。

さらに「脱がせ屋サイト」も登場した。インスタなどのSNSをはじめ、ネット上にはたくさんの個人画像があふれている。その個人画像を使って芸能人や女子アナ、さらに一般人を下着姿や全裸に加工する有料サービスである。

これらが２０２３年までのＡＩ違法ビジネスの実情だが、２０２４年以降に登場する新サービスが「プライベートＡＶ」だ。身近な女性（あるいは男性）の画像や動画を入手し、ＡＩで立体的に生成加工。モデリングした顔の表情パターンをＡＩで生成して既存のＡＶと合成する。これで完全オーダーのオリジナル「知り合いのＡＶ」が完成する。

取材・文●西本頑司

ファンと2人きりでデートするプライベート動画をAIが制作

生き残りをかけて、ニュービジネスを模索する旧ジャニーズ事務所
スマイルアップは2023年11月、被害程度に応じた賠償額で、和解に合意した被害者への支払いを始めると発表した。十分な賠償額を支払うためにも経営が傾くことは許されない

年間520億円を生み出す1300万人のファンクラブ会員「限定」サービス

これまで、動画合成の処理技術「ディープ・フェイク」を用いて、精巧な偽動画をつくるには、高いITスキルとハイスペックなPCが必要だった。ところが2024年以降、生成AIが顔の表情や声などを自動で動画に組み込む「顔専用の3Dエンジン」が登場するとされ、これによりプライベートAVが爆発的に広がると予想されている。

また、このプライベートAVは、旧ジャニーズファンたちが高い関心を示しており、このことで、新たなビジネスが生まれるのではないかと予想されている。

ファンクラブ会員が事務所にデート映像をリクエスト

2023年3月、イギリスBBCの特集番組によって故ジャニー喜多川氏の児童虐待・セクハラ問題が顕在化。旧ジャニーズ所属の人気タレントたちは活動を自粛せざるをえない状況となる。コンサート会場の利用も断られ、自前の配信サービスでしか活動できないタレントもいるという。これにより、旧ジャニーズファンのタレントに対する支出も停滞し、当然、旧ジャニーズ事務所の収益も右肩下りとなっている。

しかし、ファンクラブだけを見ても会員数は1300万人といわれる。年会費は4000円で、年間520億円が旧ジャニーズ事務所に入ってくる。これだけは手離すわけにはいかない。活動自粛でメディア露出が減ったことで、会員数を減らし続ければ死活問題となる。だが、タレントが表立った活動をすれば、世間の厳しい批判にさらされる。ここで、事務所に救いの手を伸べたのが、なんとファンクラブの会員だった。

前述した「知り合いのAV」が話題となっていることが多くのファンクラブ会員から事務所に伝えられ、同じ技術で旧ジャニーズタレントを使った「プライベートデート動画」をつくってほしいというリクエストが寄せられているという。

旧ジャニーズタレントたちがファンと2人きりでデートするプライベート動画を完全受注制でつくる。要するにフェイク動画なのだが、出演者が動画への使用許可を出しているので、完全な合法ビジネスとなる。

オーダーできるのはファンクラブの会員だけとし、年間520億円を生み出す1300万人会員をつなぎ留める役目も果たす。

完全受注制での動画制作となるので、コストを考えれば販売価格はかなり高額にする必要がある。しかし、これまでも年に数百万円をタレントに使うファンが多数存在してきたことを鑑みれば、かなりの高価格であっても問題なくファンは購入するはずだ。

今後、タレントの大手メディアでの活動や、大規模会場でのコンサートが難しくなることが予想される旧ジャニーズ事務所にとって、対個人に特化したニュービジネスの成否が、未来の運命を左右することになるだろう。

岸田政権の支持率低下が〝危険水域〟に入り自民、維新が連立し「橋下徹首相」が誕生

政権支持率上昇のために大衆人気の高い橋下徹、吉村洋文府知事を首相に擁立

次回総選挙で野党第一党になると予想される「日本維新の会」

自維連立政権の成功のために望まれる橋下徹首相の誕生
その政治手法やポリシーへの賛否はあるものの、大阪府知事、大阪市長として一定の実績を評価される橋下。2015年に政界引退を表明し、現在は日本維新の会から離れた立場でコメンテーター等を務めているが、2024年の東京都知事選出馬を取り沙汰されるなど、政界復帰の噂は絶えない

「第2自民党」を自称する維新の馬場伸幸代表

所得税減税案を打ち出してもなお支持率低下が止まらない岸田文雄政権。連立を組む公明党も、支持母体である創価学会会員の高年齢化と池田大作名誉会長の死去による求心力の低下で、集票力は低下傾向にあり、各種調査からも次期総選挙での与党の苦戦は明白だ。

支持率低下の一つの要因は、２０２３年６月の国会で成立した「ＬＧＢＴ理解増進法」だった。

従来の女性の安全や権利を脅かすかのような法案の内容だけでなく、自民党内には反対の声が多くありながら成立を強行した。この政治手法に対して、安倍晋三政権の時代から続く岩盤支持層からの批判の声が巻き起こり、その多くが離反したとされる。ＬＧＢＴ理解増進法の成立に関しては公明党が積極的だったことから、そんな自公連立が続くのであれば、一層の与党離れを招くおそれもある。

そこで自民党が画策するのが、次回総選挙で野党最大勢力になると予想される日本維新の会との連立だ。

維新の会への支持はもはや地盤の大阪にとどまらない。馬場伸幸代表が「第２自民党」を自称するなど「保守色が強く現実味のある政権担当能力」をアピールすることで確実に全国区まで勢力を伸ばしてきている。

これまで維新の会は「野党第一党を目指す」ことを最優先の課題に掲げ、連立には消極的な姿勢を見せていた。だが、２０２３年８月にラジオ番組に出演をした馬場代表は、自公と連立政権を組む可能性について問われると「（自民と公明）２つの政党で政権を維持できない状況になった場合、交渉のやり方といろいろと考える余地が出てくる」と連立参加に含みを持たせた。

取材・文●早川満

次回総選挙でいきなりの橋下徹出馬、首班指名の可能性も

自維連立政権成功のための首相候補
橋下徹と吉村洋文大阪府知事

大阪府知事の吉村洋文も人気は高いが、2023年4月に再任したばかりで、国政に進出するとしてもまだ先になるとされる

自民党は日本維新の会との連立を"お願い"する立場に

レームダック化した岸田内閣に人気回復と党内復権の兆しはまったく見えない

日本維新の会代表の馬場伸幸衆院議員

連立政権のキーマンではあるが、国民からの知名度や人気ではやや物足りない

自民党は維新の会へ連立をお願いする立場

自民党と維新の会の関係は民主党政権下の2011年、維新がまだ「大阪維新の会」を名乗る地域政党で、自民党は下野していた時期に始まる。維新の会の共同代表を務めていた橋下徹と松井一郎のほうから安倍晋三に接近。公約に掲げていた大阪都構想を実現するには国政の力が必要だとして、安倍に維新の会からの総選挙出馬を打診したのだ。

結局この話は流れたものの、自民党の政権復帰後も維新の会は、安倍とその盟友である菅義偉との良好な関係を続け、毎年クリスマスイブには安倍、菅、橋下、松井の4人で食事会を開くほどだった。

だが安倍・菅がトップの時代ならいざ知らず、支持率低下が止まらない岸田自民党は、維新の会へ連立をお願いする立場であり、そうなると話は簡単に進まない。

そこで思い出されるのが1994年の自社さ連立における村山富市政権だ。

当時、日本新党を中心とした8党連立政権を打倒するため、自民党の竹下登を中心に社会党との連立を画策。その際の手土産として、社会党の村山を首相に推挙した。この時と同様に、維新側の議員を連立内閣の首相に立てることは十分に考えられる。

その場合、現状では維新の会の馬場代表が首相の最有力候補となるが、政権支持率上昇のためには、もっと大衆人気の高い吉村洋文府知事、あるいは橋下徹を擁立することが予想される。橋下自身は「もう議員にはならない」と公言しているが、「国家のため」という大義名分が立てば話は違ってくる。

首相となるには国会議員の資格が必要になるが、次回解散総選挙まで時間がかかればかかるほど、出馬の準備は整いやすい。総選挙のタイミングによってはいきなりの橋下出馬、首班指名もあり得る。

そこまでの急展開にならなくとも、自維連立政権において、まず橋下を民間人のまま重要閣僚に就任させる手は考えられる。そこで自維連立政権の基盤を固めたうえで、次々回総選挙で晴れて国政選挙に出馬、当選後に堂々と首班指名を受けるという寸法だ。

解散総選挙がいつになるかにもよるが、早ければ2024年中にも橋下徹首相の誕生があるかもしれない。

日本の「クルド人自治区」実現を目指す勢力は中国の支援を受けた〝反日勢力〟の可能性

台湾有事の際、中国軍の後方支援としてクルド人が大規模暴動を起こす懸念

クルド人の人権を過度に守る日本の人権団体の存在

日本に住むクルド人の多くは亡命希望者とされる

埼玉県の川口市や蕨市では、夜になると駅周辺や公園、コンビニなどにクルド人のたむろする姿が頻繁に見られ、地域住民とのトラブルが頻発。人権問題もあって警察は容易に取り締まれずにいる

クルド人同士の100人規模の騒乱でも起訴された者はゼロ

埼玉県川口市は人口の7%近い約4万人が外国人住民という多国籍都市で、中国系住民の多いことで知られていた。近年はクルド人の増加が目立ち始め、一部クルド人と住民の間でトラブルも起きているという。

夜が近づくにつれてクルド人たちが川口駅周辺にたむろし始めると、車座になって酒を飲み、大声で騒ぎ立てる。

クルド人のなかには、難民認定申請中で住民票や在留カードなどを持たない不法滞在状態の者も多く、正式な在留許可を得ている外国人の借りた部屋に同居していることが多々ある。そうすると、いざトラブルとなって警察が介入しようとしても、身元がわからないケースが多い。そのため、駅周辺でクルド人が繰り広げる飲酒を伴う騒音騒ぎや、ナンパと称したつきまといなどの被害を日本人が受けたとしても、訴え出たところで泣き寝入りせざるを得ないという。

自動車での暴走行為を繰り返して人身事故を起こしても、彼らは1台の車を代わる代わる使っているため、誰が実際に運転していたのか証拠が掴めず、それで摘発に至らないケースも多い。

2023年6月には、自民党川口市議団が「一部外国人による犯罪の取り締まり強化を求める意見書」を市議会に提出し、賛成多数で可決された。だがその直後の7月4日夜には、クルド人男性同士の争いから双方の仲間が路上で争う100人規模の騒乱が発生している。この件では殺人未遂容疑などで7人の逮捕者が出たものの、結局は不起訴となっている。証拠不十分というだけでなく、捜査を強行すれば、すぐに日本国内のクルド人支持者たちから「人権侵

取材・文●早川満

中国情報機関の意を受けた中華系マフィアの手引きでクルド人とベトナム人は日本に定住

さいたま市で行われた在日クルド人のお祭り
2023年にはクルド人伝統の祭りも開催された

トルコ大使館周辺では何度もクルド人とトルコ人の乱闘事件も発生している

2015年には本国の総選挙に関連して、トルコ大使館の前で、トルコ系とクルド系のトルコ人同士で乱闘が発生。止めに入った警察官を含めて負傷者が多数出たように、クルド人絡みのトラブルは川口市にかぎった話ではない。今後、不法滞在者が増えれば、日本全国に火種が広がるかもしれない

害」「人種差別」などの批判が矢のように飛んでくるのだから、警察としても対処のしようがない。

犯罪の手先として利用されるクルド人とベトナム人

クルド人の人口は世界で約3500万〜4800万人と推定され、その多くはトルコ、イラン、イラク、シリアにまたがって居住している。日本にやってくるクルド人の多くはトルコ国籍で、彼らは「国で政治的迫害を受けている」と主張して難民認定を繰り返し求める。そうして先に日本で定住権を得た外国人の経営する解体業者などで不法な就労を行う。よほどの罪を犯さないかぎり強制退去処分を受けることはなく、実質、定住を続けていることと変わらないという。

さらに、クルド人支持の一部の人権団体には「川口を単なるクルド人街にとどまらない、クルドの慣習やしきたりで運営する自治区にしたい」と主張する者もいるという。

人手不足が続く日本の建設・解体業において、これに従事するクルド人労働者を重宝する声もあり、そうした業界の声を汲んだ政治家たちが積極的に動けば、日本との文化風習の違いを建前とした「クルド人自治区」の実現は、決してあり得ないことではない。

しかし、難民保護や人手不足の観点だけで、クルド人自治区をつくろうとしていると考えるのは早計だ。

川口市では90年代あたりから、就学などの理由で来日しながら不法に残留を続ける中国人が急増したが、これと関連の深い中華系マフィアの手引きで、クルド人たちが川口に住み着くようになった事実も確認されているという。

「川口市のクルド人だけでなく、不法滞在のベトナム人たちが北池袋に多く住み着くようになったのも、もともと北池袋を根城にしていた中華系マフィアの仕業といわれている。中華系マフィアの一部は、クルド人やベトナム人を犯罪まがいの仕事、あるいは窃盗や強盗といった犯罪をやらせて、その上前をはねているのです」（元公安関係者）

さらに、証言者によれば、この中華系マフィアは中国の情報機関から資金援助を受けているとされ、また、先に述べたクルド人自治区の実現を求める人権団体のなかには中国情報機関の資金が入っているところもあるという。

それが事実であれば、中国の台湾侵攻などの有事が起こった際、川口のクルド人と池袋のベトナム人が中国当局の意を受けた行動を起こす可能性もある。仮に台湾有事の際に日本国内で大規模な暴動を起こすことができれば、それは明確な中国軍の後方支援となってしまうのだ。

国内の不法滞在者と難民問題には、いっそうの厳しい監視が必要なのかもしれない。

日本「大予言」陰謀ランキング
6

〝若者の貧困化〟の放置で政府が目指す「経済的徴兵制」による自衛隊と国防の強化

若者世代を貧困化させ、経済的理由で自衛隊に入隊せざるを得ない状況に

改善される兆しのない 高齢者優遇の「若者イジメ」

生成AIでつくった「日本の若者の貧困化」
昔は「若い時は貧しくても自然と収入が上がっていく」という希望があった日本だが、現代の若者はずっと貧困から抜け出せず、ただひたすらに搾取される弱者として扱われている

男性の全世代で「最も貧しい」20～24歳の男性層

かつて貧困は、わずかな年金でやりくりする高齢者の問題だったが、近年は若者が貧困問題の中心になっている。

2020年に東京都立大学の子ども・若者貧困研究センターが発表した「相対的貧困率の長期的動向：1985－2015」によると、2000年代前半から若者の貧困率が急激に上昇し、2012年には20～24歳の男性の貧困率が20%を超え、男性の全世代のなかで「最も貧しい」という状況になった。女性の場合は高齢者の貧困率が相変わらず高いが、20代前半の世代は男子と同様に悪化している。

20代前半というと、年齢的には高校や大学を卒業したばかりであるため、不景気による失業率や非正規雇用の増加のあおりを受けたとみられる。2015年には求人増加で貧困率がわずかに改善したが、それでも貧しさから抜け出せない人が多いのは、若者層の賃金相場が低いことが原因と推察される。

昨今は、SNS経由で強盗や窃盗といった犯罪行為に加わる「闇バイト」が社会問題化しているが、若者たちが闇バイトに手を出してしまう大きな要因の一つが「貧困」であるとも指摘されている。

それだけの大きな社会的課題であるにもかかわらず、政府は具体的な改善策を打ち出すことなく、むしろ若者の負担を増やし、高齢者を優遇していることから「若者イジメ」と揶揄されている。しかし、この若者イジメについては「政府がある目的のために意図的にやっている」との指摘がある。

政府による若者イジメに隠された真の目的とは、アメリカに倣った「経済的徴兵制」の実現だ。

取材・文●佐藤勇馬

「金銭的な恩恵」で入隊を促す米軍システムを適用したい日本政府

「経済的徴兵制」で安定した人員を確保している米軍

経済的に貧しい者たちにとって軍隊は一種の救いになっている

自衛官応募者数の減少を解消するために「若者イジメ」政策は継続される!?

若者たちが食い物にされる時代が今後も続いていくのだろうか

安定した給与を求めて軍隊に入るアメリカの若者

アメリカは実質的に徴兵制が存在しないが、軍隊が人手不足になることはなく、入隊希望者が後を絶たない。その背景にあるのが「若者の貧困」だ。

米軍のスタッフは南部などの貧困地域を中心に入隊の宣伝をしており、彼らが若者たちの関心を引き寄せるためにアピールするのは「金銭的な恩恵」である。

米軍の入隊志願理由のトップは「大学進学ための」となっている。軍隊で一定期間を過ごすと国防総省が奨学金の返済を肩代わりしてくれるシステムがあり、家庭が裕福でない若者がそれを目当てとして入隊するケースが多いのだ。こうしたシステムは「経済的徴兵制」と呼ばれる。

日本でも、奨学金の返済で苦しんでいる若者は多く、もし同じシステムが採用されれば多くの若者が自衛隊への入隊を志願するだろう。

実際、2014年には経済同友会の副代表幹事が奨学金返還滞納者への対応について、「防衛省などに頼んで、1年とか2年のインターンシップをやってもらえば就職はよくなる。防衛省は考えてもいいと言っています」と語り、自衛隊や防衛省でのインターンシップの見返りとして就職支援や経済的支援をするプランがあり、防衛省が乗り気であることを示唆した。この発言は悪い方向に問題視されたことで、当時は自然消滅となったが、若者の貧困が恒常化した現在、復活する可能性は大いにあるとみていいだろう。

アメリカでは、奨学金にかぎらず、失業率が高くまともな就職先のない地域の若者が、安定した給与を求めて軍隊に入る事例も目立っている。これも、そのまま日本に当てはめることができそうだ。

中国や北朝鮮などへの対抗策として、日本は自衛隊を強化すべきと指摘されている。しかし、隊員を集めようにも徴兵制を復活させるようなことはできない。その解決策として、経済的な理由で自衛隊に入隊せざるを得ない状況を生み出すため、若者を貧困化させたのではと推測されているのだ。台湾有事の可能性が叫ばれていることもあり、2024年内にも実現に向けた具体的な動きがありそうだ。

日本「大予言」陰謀ランキング 7

"不祥事なし""ギャラ安い"のメリットで「AIタレント」がCM、テレビの世界を席巻

ドラマ、映画、アニメ、ゲームの世界で生身の俳優・声優が排除される可能性

「お〜いお茶」が日本で初めて「AIタレント」をCM起用

「お〜いお茶 カテキン緑茶」TVCMより

伊藤園「お〜いお茶」のCMに起用されたAIタレント

伊藤園は、AIタレントの今後の起用について「企画の目的に合致するのであればメリットとデメリットを精査したうえで起用を検討する」とコメントしており、広告の企画によっては今回かぎりではなく、AIタレントの起用を続けていく可能性があることを示唆した

スキップしたり、お茶を飲んだりするAIタレント

2023年10月、飲料大手の伊藤園が「お〜いお茶」シリーズの新CMを公開し、日本初の試みとして「AIタレント」をCM起用した。本物の人間と見分けがつかないほど違和感がまったくなく、今後はAIタレントがCMを席巻するのではと推測されている。

CM内では、AIタレントがスキップしたり、お茶を飲んだりするとともに、年齢が一瞬で変化する場面もあるが、どのシーンも現実の人間と大差ないように見える。伊藤園によると、大量の顔写真などを学習したAIが女性の顔を生成し、デザイナーらが微調整したという。

これが公開されると、ネット上では「もう人間と見分けがつかない」「リアルすぎて最初は普通に人間だと思った」「AIの進化速度がすさまじい」といった声が上がった。

これをきっかけとして、CM業界でAIタレントの導入が本格化していく可能性がありそうだ。

CMは、タレントのイメージを商品に投影させ、視聴者の購買意欲を刺激する手法が基本だ。ファミリー向けの車なら家庭的なイメージのあるタレント、化粧品なら肌がきれいな印象のある女優などが選ばれる。

その一方、CMのストーリーや演出をメインにする場合は、あえて色のついていない新人タレントや無名タレントを起用するケースが多い。

そういう意味では、AIタレントの起用は後者のケースに該当するが、AIタレントのなかで「人気AIモデル」が誕生すれば、前者のケースにも対応できるようになるだろう。

さらに、若者に人気のVチューバーのように、AIタレントに人格を持たせ、トークや歌などもこなせるようになれば、通常のタレントとさ

取材・文●佐藤勇馬

「AIタレントのほうがコスパがいい」と判断する企業が増えていく時代に

©NTTテクノクロス公式HPより

**テレビ朝日系
ニュース番組で活躍する
AI×CGアナウンサー
「花里ゆいな」**

ニュース内容によって明るい・暗いなどの感情を込めた原稿の読み上げが可能で、AI学習により、自然な発話も実現した

**生成AIの過度な導入に
反対するハリウッドのデモ**

ストライキは終結したが、AIの進化によって生身の俳優やタレントが不要になっていく流れは止められないだろう

ほど変わらなくなる。

　そうなった場合、ＣＭを放映する企業にとっては、生身のタレントよりもＡＩタレントを起用するほうがメリットは大きくなる。

恋愛スキャンダルすら心配する必要がない

　何よりも大きいメリットは「不祥事がない」ということだ。近年は、性加害問題や不倫問題などを起こしたタレントがＣＭを降板する事例が相次いでいる。突然、ＣＭが放送できなくなれば、広告戦略が大きく狂い、企業は大損害となる。

　しかし、ＡＩタレントなら不祥事を起こす心配はいっさいない。不倫や犯罪行為はもちろん、恋愛のスキャンダルすら心配する必要がないのだ。

　もう一つ、出演料を大幅に抑えられるという大きなメリットもある。人気タレントとなると、ＣＭ契約料は数千万円にのぼるが、ＡＩタレントなら本人のギャラは当然ながらゼロで、映像の制作料だけでＣＭをつくることができる。もちろん、生身の人気タレントを使うことにも大きなメリットはあるのだが、先述した不祥事リスクなども含めると、「ＡＩタレントのほうがコスパがいい」と判断する企業は増えていくだろう。

　生成ＡＩのレベルは加速度的に進化している。現時点でこれほど精巧な映像がつくれるなら、２０２４年内にも、ＣＭ業界へのＡＩタレントの本格進出が始まる可能性は大いにあるだろう。

　ＡＩの台頭はＣＭだけに留まらない。海外では、声優をいっさい起用せずにＡＩによって生成されたボイスデータのみを使ったゲームが開発され、大きな反響を呼んだ。ＡＩは声優たちの声を学習してボイスを生成しているため、声優たちは権利侵害を訴えて反発しているが、この流れはもう止められないだろう。アニメや映画の吹き替えなどにも波及していくのは時間の問題だ。

　ハリウッドでは「ＡＩに役を奪われる」として俳優組合などがストライキを実施したが、映像のクオリティが上がっていけば、映画やドラマも「生身のタレント不要」となる未来がやってくる。

　近い将来の日本でも、ＣＭ、ドラマ、映画、アニメ、ゲームなどから生身の人間が排除され、ＡＩタレントばかりになる時代が訪れるかもしれない。

日本「大予言」陰謀ランキング 8

ダウンタウン・松本人志の引退を契機に吉本興業から芸人が〝大量独立〟する可能性

自由と収入アップを求めてオリラジ・中田敦彦に頼る吉本芸人が多発か

〝象徴〟松本人志の引退で求心力低下が危惧される吉本

写真：AP/アフロ

近い将来の芸能界からの引退を示唆した松本人志

吉本興業を全国区にまで広めた最大の功労者、ダウンタウンの松本人志。現在テレビ番組で活躍するほとんどの芸人が、松本の影響を口にする。そんな松本の引退は、芸能界やテレビ業界に地殻変動をもたらすに違いない

吉本に対するメディアの忖度が低減

ジャニーズ騒動で揺れた2023年の芸能界。しかし近い将来、さらなる激動が起こるかもしれない。

震源地は日本最大のお笑い芸能事務所「吉本興業」。ダウンタウン・松本人志の引退を契機に、芸人の大量独立が起こる可能性があるというのだ。

2023年3月、松本は『ワイドナショー』の番組中に「早ければもう2年。遅くても5年かな」と近い将来の引退を示唆。「今年還暦なんで、5年後65なのよ。娘もちょうどいい年齢（18歳）になるのよ」「ここで辞めるっしょ。これは絶対区切りやん」と話している。

昨今のテレビは「どの番組を見ても芸人ばかり」などといわれるが、そんな状況をつくり上げたのがダウンタウンであり、そのマネージャーを経て吉本興業会長にまで上り詰めた大崎洋氏だった。その大崎氏も松本の引退発言のあとを追うように、2023年4月末をもって吉本を退社している。松本の引退発言と大崎氏の退社が関連したのかは定かでないが、この両者が不在となったとき、メディア各社からの吉本興業に対する忖度が低減することも考えられる。

とはいえ、6000人とされる所属タレントを抱え、全国各地に自社の劇場を持つ吉本興業がそう簡単に潰れることはなさそうだが……。

「現在吉本に所属する芸人の多くはダウンタウンに憧れた世代で、その象徴が引退となれば会社に義理を尽くす理由はありません。2019年に闇営業問題が発覚した際には、宮迫博之や中田敦彦が退社し、加藤浩次（のちに退社）や近藤春奈らはエージェント契約に切り替えたものの、それぞれ順調な活動を続けている。そうとなれば今後は吉本を離れて、

取材・文●早川満

YouTube配信や舞台のライブ配信に活路を求める芸人が頼る中田敦彦

YouTubeチャンネル「中田敦彦のYouTube大学」より

『中田敦彦のYouTube大学』をメインコンテンツに動画配信やSNSでのビジネスで成功を収める中田敦彦

2023年7月には、自身のYouTube番組で「松本人志批判」を展開したことで物議を醸した中田敦彦。2020年の吉本興業退社の理由として、吉本の「松本人志を最優先する忖度体質」への反発や、YouTube番組に関する自身と会社の取り分の問題があったという。ネットに活動の軸を移した現在も、吉本と松本の両方を倒すチャンスをうかがっているものと見られている

写真：Rodrigo Reyes Marin／アフロ

吉本興業を退社後も、順調なタレント活動を続ける加藤浩次

2021年にエージェント契約も打ち切って、完全独立した加藤浩次。朝の情報番組『スッキリ!!』の司会は2023年に降板となったが、現在も複数のレギュラー番組を抱えている

もっと自由な活動をしようというケースは増えるでしょう」（芸能記者）

動画配信でそれなりに稼ぐ地上波テレビで見ない若手

人気どころの有名タレントだけではなく、将来有望な若手たちの大量離脱も囁かれる。

近年、吉本の芸人たちはYouTube配信や、舞台のライブ配信による収入がかなり増加していて、地上波テレビで見かけることがほとんどない無名の若手でも、月収30万〜50万円程度を稼ぐ者がザラにいるという。

吉本タレントの東野幸治が自身のYouTube番組で明かしたところによると、「YouTube広告収入の取り分は、動画の編集・構成に吉本のスタッフが入ると4割、自分で編集まで行った場合でも2割を吉本興業に収める契約になっているという。

またライブ配信の収入は、配信チケットがたくさん売れる人気ライブだと出演者一人あたりの出演ギャラが20万円近くになることもあるという。だが配信ライブに関する契約は、売り上げの1〜2％程度を出演者に還元するというもの。つまり、いくら若手が稼げるようになったといっても、実際にはそれ以上に吉本が利益を上げているのだ。

以上のことを考えた時、YouTube配信や配信ライブを独力で行うことができれば、これまで会社に納めていた分も自分たちの取り分になり、その収入は倍増どころの話ではない。そんな状況下で、キーマンと噂されるのが、元吉本所属でオリエンタルラジオの中田敦彦だ。

長くユーチューバーとして活動をしてきた中田は配信で稼ぐ仕組みを熟知しており、YouTubeコンテンツの制作や、配信プラットホームの立ち上げなどはお手のもの。

登録者数500万人超のメインチャンネル『中田敦彦のYouTube大学』の影響力はテレビの深夜帯以上はあるとされ、そこからファンを特定のチャンネルに誘導することも可能だろう。

動画主体のコンテンツ配信であれば、吉本のように劇場を持たずとも小規模スタジオで対応可能。それで収入倍増となるのであれば、自由と成功を求めて中田に頼る吉本芸人が多発する――。そんな状況が生まれる可能性もあるのだ。

日本「大予言」陰謀ランキング 9

世紀の〝スーパー天才カップル〟として藤井聡太&芦田愛菜が交際に発展か!

七冠制覇時に結婚した羽生善治に倣って、八冠制覇の藤井聡太も電撃結婚か!

写真：共同通信イメージズ

八冠全制覇を成し遂げた藤井聡太
もはや将棋界に敵なし。当分はトップの座を譲りそうにない藤井総太八冠。テレビのメイン視聴者である高齢者や主婦層からの好感度も高く、CM業界からは文化人枠での本格参戦が待ち望まれている

写真：WireImage／ゲッティ／共同通信イメージズ

慶應大学法学部に進学した芦田愛菜
2023年上半期は15社のCMに出演した芦田愛菜。これまでスキャンダルのなかったことがスポンサーの安心感に繋がっている。藤井八冠との真剣交際となれば、さらに好感度アップが見込めるだろう

芦田愛菜に関するガセネタを書けば〝芸能界のドン〟の逆鱗に触れる!?

「藤井総太が芦田愛菜にお祝いメールを送った」報道の真意

　2023年4月から大学生となった芦田愛菜。慶應女子高校から慶應大学法学部政治学科への内部進学であることは早くからネット上で知られていたが、テレビやスポーツ紙においては、単に「名門私立大」と表記されることがほとんどだった。

　その昔、広末涼子が早稲田大学に入学した時にマスコミがこぞって取材に押しかけたことを考えると、芦田に対する報道の静かさは逆に異様にも感じられる。

「芦田の所属するジョビィキッズは、他にも寺田心や鈴木梨央など子役を中心に扱っている事務所です。1999年の創業ですが、2011年頃からはバーニングプロダクション傘下に入ったとされていて、芦田の大学名が大々的に報じられなかったのはその影響もあるでしょう」（芸能記者）

　芦田がテレビドラマ『Mother』の演技で一躍話題となったのは2010年のことで、これを気に入ったバーニングプロのドン、周防郁雄社長が芦田の獲得に動いたのだという。

　バーニングプロは言わずと知れた芸能界の最大勢力。芦田のプライベートに関して、本人が話したこと以外ほとんど報じられないのは、各マスコミが周防氏に忖度した結果だという。

　だが芦田の慶應大学入学直後の4月、なぜか「棋士の藤井総太が、芦田の大学入学に際して、お祝いメッセージのメールを送った」とするニュースが飛び出した。

　この報道は、業界歴30年以上のベテラン芸能記者による署名記事で、「メールの件は、将棋界関係者の間で話題になっている」と記している。

　だが、藤井には詰め将棋の勉強仲間以外で、将棋界に親しく接する同

取材・文●早川満

八冠全制覇でスケジュールに余裕が生まれ女性との交際に時間を割くことも可能に！

サントリー緑茶「伊右衛門」公式サイトより

2021年にサントリーの緑茶「伊右衛門」のウェブCMで対談した藤井聡太&芦田愛菜

対談ではネコの話題で盛り上がるなど終始和やかな雰囲気で、当時から「カップル成立」を期待する声が聞かれた

年代の友人がほとんどいないとされる。そのため、このメールの件が仮に真実だったとしても、藤井が第三者に口外するとは考え難い。

しかし、芦田に関するガセネタを書けば、周防氏の逆鱗に触れることは確実とされており、業界歴の長いベテラン記者が、何の意図もなしにそんなことを書くとも思えない。そうするとメールの件は、芦田サイドからのリーク、もしくは了承のもとでつくられた情報と考えるのが自然となる。

対談時、「熱愛への発展」も噂された藤井と芦田

これまでまったく恋愛スキャンダルのない芦田だが、若くして棋界の頂点に立つ藤井であれば、相手として申し分ない。

あるいは、文化人としての価値が上がり続けることが必至の藤井を、バーニング系列で獲得するために、言葉を選ばずに言えば「芦田との交際を、契約交渉のための餌にした」とも考えられる。

現在、日本将棋連盟を通した仕事しか受けていない藤井は、芸能事務所からすれば、まさしく「カネのなる木」なのだ。

藤井と芦田は２０２１年にサントリーの緑茶「伊右衛門」のウェブＣＭで対談している。この時、同じく行われた本木雅弘との対談では終始伏し目がちだった藤井が、芦田に対しては珍しく自ら積極的に話しかける様子を見せていた。その雰囲気のよさから「熱愛への発展」も噂されたものだった。

実際の藤井は、将棋関係以外の用事で外出することはほとんどなく、実家にこもって研究一筋の生活を続けている。恋愛の兆候などまったく見られないという。

しかし、２０２３年10月に前人未踏の八冠タイトル全制覇を成し遂げたことで、今後は対局のほとんどがタイトル戦となる。各タイトルの挑戦者を決める予選に出場する必要がなくなれば、スケジュールにいくらかの余裕もできる。そうすれば、女性との交際に時間を割くことも可能になるだろう。かつて羽生善治がアイドルの畠田理恵と結婚したのも、七冠制覇と同時期のことだった。

その前例に倣えば、八冠達成を果たした藤井が、２０２４年中に芦田との電撃結婚を発表したとしても決して不思議ではない。

日本「大予言」陰謀ランキング
10

「抗議すればAVは簡単に発売中止になる」という〝悪しき前例〟で懸念されるAVの消滅

大手サイトが「触らぬ神に祟りなし」とAVの販売・配信から手を引く可能性も

フェミニストを揶揄したパロディAVが発売前に「取り扱い停止処分」に

amazon

多様な作品、商品を扱う大手サイト「Amazon」
アダルドDVDのみならずグッズ、コミック、ゲームなどまで幅広く取り揃えている。配信に関してはH−NEXTと提携している

H NEXT

アダルト作品に特化した大手サイト「H−NEXT」
U−NEXTから独立し、AV見放題の月額プランが人気。人気女優の揃った配信特化レーベルFALENOを独占している

FANZA

最もメジャーなアダルト系の大手サイト「FANZA」
DMMグループ運営のアダルト動画専門サイトで、配信数ナンバーワン。独占レーベルを多数抱え、VR作品の品揃えは圧倒的

主演女優は「表現の自由の邪魔をされてる」と主張

2023年10月、アダルト作品『一般社団法人代表似非フェミニストの闇（媚薬）堕ち快楽性交‼』が、Amazon、H−NEXT（U−NEXT）やFANZAといった大手ネットサイトでの販売や配信の取り扱いを停止された。リリース前の宣伝告知がなされた直後のことだった。

同作に出演した月島さくら（稲森美優とW主演）はこの処置に対してXで「中身が出た作品についてのバッシングや訴訟が起きるなら表現者としてどの作品でも覚悟はしているけど　そもそも売れないっておかしくない？」とポストしている。

内容が過激だとか、法律に反しているなどの理由ではなく、作品のあらすじを発表した時点で取り扱い停止になったというのがこの件のポイントだ。

ちなみにフェミニズムを〝題材〟としたアダルト作品では、過去に『女性差別許さない！猥褻物は有害！エロ本出版社に抗議に来たフェミニストおばさん達に媚薬を飲ませたら…』『議会ヤジ問題！女性蔑視は許しません！男性議員のセクハラ野次に猛抗議！フェミニスト議員に媚薬茶を飲ませたら…』など多数の作品が発売されている。

また実在の人物や事象、創作物のパロディとなると『女子十二尺棒』『ワイルドババァクラシック』『痴術廻戦』（それぞれ「女子十二楽坊」「WBC」『呪術廻戦』のパロディ）など数え始めればキリがない。

そんななかで今作だけがなぜ、発売前の取り扱い停止処分となったのか。

月島は同じくXのポストで「中身が出てない段階で販売の邪魔をするのは違くない？　表現の自由の邪魔をされてる。」としている。

ここでいう「邪魔」とは、同作の

取材・文●早川満

AmazonやU-NEXTなどが猛烈な批判に対抗してまでAV販売を続けるとは考えにくい

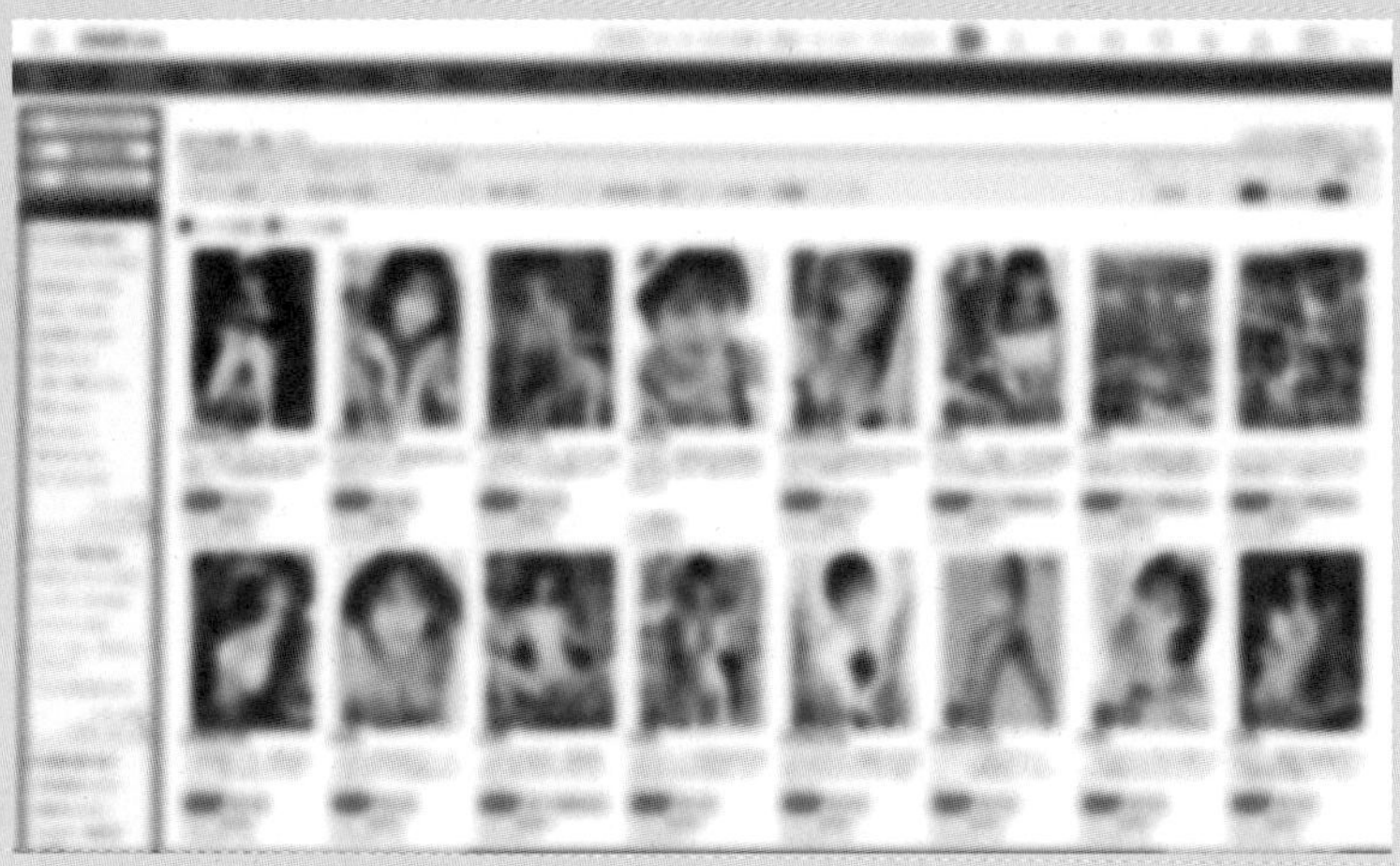

大手サイトでの販売がなくなればメーカーにとって死活問題に

現在アダルト作品の制作費は、よほどの大型タイトル以外は100万～150万円程度（女優のギャラ除く）。販路が減り、今以上に予算が減ればとても新作を撮ることはできない

販売中止になった『一般社団法人代表似非フェミニストの闇（媚薬）堕ち快楽性交!!』

当初はSODからの発売予定だったが、大手サイトが配信を停止。発売元を変更するなどしながら独自の販売が続けられている

モチーフとされている団体、もしくはその関係者からの抗議と推測され、それも相当に苛烈な抗議であったと想像できる。

「販売中止運動」が繰り返される懸念

同作の紹介文によると、〈主役はユーチューバーに「数年にわたって不正会計及び公金を不正に取得していた」との告発がなされて以降、SNSで似非フェミニストとして揶揄される貧困女性の自立支援団体「Connbe」代表〉となっている。「特定の団体、個人とは関係しないフィクション」とはいうものの、見る者がみれば、これが若年女性支援を目的とした団体「Colabo」の仁藤夢乃代表をモチーフとしていると推測できる。

仁藤氏は２０２２年に国会で成立した「AV出演被害防止・救済法案」、いわゆる「AV新法」に関連して、当初は推進派であったものの、成立間際に「AV業者や購買者、消費者の目線に立った法律だ」として、「もっと締めつけを厳しくしてAV自体を禁止すべき」との立場を取っていた。

そんな仁藤氏が、自らをAVのパロディ題材にされたのだから、怒り心頭となったのは想像に難くない。

一方の月島はセクシー女優の立場から、AV新法による規制に強い反発を続けてきた。そうなれば、「特定の団体や個人を、AV作品を使って攻撃する意図」があったと見られても仕方はない面もある。

その意味から、今回の特定人物を想起させる作品の取り扱い停止はやむを得ないとの意見は当然あるだろう。だが問題は「抗議によっていとも簡単に取り扱い停止となる」という前例が残ったことにある。

こうしたやり方が当たり前に通用するとなれば、今後はAV新法を盾にした「販売中止運動」が事あるごとに繰り返されることにもなりかねない。

そうなった時に、アダルト専門のFANZAはともかく、AmazonやU-NEXTなどがフェミニズム界隈からの猛烈な批判に対抗してまで、アダルト商品の商売を続けるとは考えにくい。

そうして大手サイトが「触らぬ神に祟りなし」とアダルト作品の販売や配信から手を引いて販売ルートが狭まれば、メーカーが予算をかけてAV制作することは困難だろう。

日本のAV文化はもはや風前の灯火なのかもしれない。

［カバー・表紙デザイン］妹尾善史（landfish）
［カバーコラージュ］BaconDesign
［本文デザイン＆DTP］武中祐紀
［編　集］片山恵悟（スノーセブン）
［写　真］共同通信社／AP／アフロ／アフロ、Rodrigo Reyes Marin／
アフロ、Abaca／アフロ、ロイター／アフロ、Insidefoto／
アフロ、UPI／Russian Look／Ukrainian Presidential Press Office／
Wikipedia：The Free Encyclopedia
［画像生成］Midjourney

「闇の支配者」からの禁断メッセージ！
シン・大予言
2024年の世界を激震させる陰謀ランキング

2023年12月29日　第1刷発行

著　者　ベンジャミン・フルフォード＋ウマヅラビデオ＋コヤッキースタジオ ほか
発行人　蓮見清一
発行所　株式会社 宝島社
〒102-8388　東京都千代田区一番町25番地
（営業）03-3234-4621
（編集）03-3239-0927
https://tkj.jp
印刷・製本　中央精版印刷株式会社

ISBN 978-4-299-05026-7